Date Due

FRANZ WERFEL

JUAREZ
UND
MAXIMILIAN

DRAMATISCHE HISTORIE
IN 3 PHASEN UND 13 BILDERN

Mit Einleitung und Anmerkun-
gen für den Schulgebrauch von

DR. PAUL JACOB
STUDIENRAT IN BERLIN

1931
PAUL ZSOLNAY VERLAG
BERLIN / WIEN / LEIPZIG

16. — 20. Tausend

INHALT

INHALT

EINLEITUNG

Das griechische Wort Kairos (rechte Zeit) bezeichnet
am klarsten die Eigenart von Werfels Dichten. Es
gliedert die Fülle der Werke des heute Vierzigjähri-
gen (geb. 1890 in Prag) in die organische Entfaltung
eines Lebens, in dem Folgerichtigkeit, Entwicklung
und ähnliche Begriffe nicht mühsam ersonnene Hilfs-
konstruktionen sind, sondern sich, wie selbstverständ-
lich, dem unbefangenen Blick des Betrachters anbieten.
Kairos bedeutet hier zweierlei: einmal, daß jedes
Werk gerade in dem Augenblicke keimt und entsteht,
wo Erlebnisweise und Entwicklungsstufe des Dichters
es gebieterisch fordern. So trägt jedes seiner Werke
das Merkmal unbedingter Notwendigkeit; jedes ver-
dichtet, in symbolischer Erhöhung, nicht in unmittel-
barer Wiedergabe, einen Lebensmoment Werfels.
Kairos bedeutet zum anderen: jedes – oder doch fast
jedes – Werk des Dichters, erwachsen aus dem Be-
zirk seiner Seele, ist zugleich Antwort auf die Fragen
und Zweifel seiner Umwelt, seiner Zeit, und auch dies
wieder nicht als eigentliche »Zeitdichtung«, nicht als
Fortsetzung der politischen und sozialen Kämpfe im
Dichtwerk, sondern als Versuch sinnbildlicher Deu-
tung der verwirrenden Vorgänge unserer Epoche.
Werfel ist Moralist: die sittliche Haltung des Menschen in allen Zufällen, Gefährdungen und Versu-

VII

chungen, ein unerbittlicher Gerichtstag über sich selbst
ist das Grundthema seines Dichtens. Das gerade macht
die Entwicklung dieser Dichtungen so übersichtlich
und klar: jede einzelne ist eine sittliche Bilanz, die
Gewinn oder Verlust eines Lebensabschnitts anzeigt.
So unerbittlich die sittliche Forderung ist, die Werfels
Werk durchzieht, sie ruht nicht in sich selbst; die sittliche Grundhaltung ist vielmehr Ausdruck einer religiösen Grundstimmung. Im Stadium der Empfängnis
ist Werfels Werk religiöses Erlebnis, auf dem Weg
zur Gestalt wandelt es sich in sittliche Rechenschaft
auf dieser Verbundenheit beruht Werfels einzigartige
Wirkung. Das moralische Gebot, das nicht aus der
Quelle der religiösen Erschütterung oder Erleuchtung
gespeist wird, läßt sich als nichtverpflichtend abtun,
wie jede Satzung von Mensch zu Mensch; der religiöse Ausbruch, der sich nicht verständlich machen,
der nicht reformieren, der nur tönen will, ist eine pri-
vate Angelegenheit, die nur wenige Gleichgestimmte
anrührt.

Man kann, ohne die Tatsachen zu vergewaltigen, in
Werfels bisherigem Schaffen drei Epochen unter-
scheiden: des Jünglings Ausdrucksform ist die Lyrik,
die der Übergangsjahre zum Mann, der Kriegs- und
Nachkriegszeit — das Drama, die des gereiften Mannes
— die Epik als Novelle, Roman oder dramatische Historie. Fast jeder junge Dichter beginnt mit Nach-
empfinden, Nachahmen von Dichtungen, die ihm Vor-
bild und Leitung sind. Werfels erste Gedichte dagegen
(Der Weltfreund, 1911) sind in Wortführung und
Rhythmus so frisch, so unmittelbar und so ganz ihm

eigen, wie die Gedanken und Gefühle es sind, die sich darin äußern: ein junger Mensch, ein Knabe fast noch, entdeckt neu die Welt, entdeckt, daß alles auf ihr, Menschen, Tiere, Dinge, liebenswert ist und heilig durch diese Fähigkeit, Liebe zu entzünden. Der nächste Gedichtband (Wir sind, 1913) führt diese heilige Entdeckerfreude auf ein religiöses Allgefühl zurück, auf »das ewige, undurchdringliche, gewaltige Existenzbewußtsein«. »Einander«, der dritte Gedichtband (1915), zeigt die ersten Spuren einer ernsten Gefährdung des Gebotes der Alliebe, das dem Knaben noch so leicht zu erfüllen schien. Allein ein machtvoller Wille zur erlösenden Liebestat tut sich kund, und so enthält dieser Band gerade die gewaltigsten Gedichte Werfels (Lächeln, Atmen, Schreiten – Veni creator spiritus – Jesus und der Äserweg). Das Erlebnis des Krieges, niederschmetternd für den Verkünder der Liebe zum Menschenbruder, stöhnt, schreit und wütet im »Gerichtstag« (1919). Der Sinn des Lebens scheint für immer vernichtet, und erst der letzte Gedichtband Werfels, »Beschwörungen« (1923), versucht in dunklen, grübelnden Symbolen und Bildern neue tastende Deutungen.

Allein die Lyrik ist jetzt nur noch – wir können nicht sagen, ob für immer – eine Nebenströmung. Alle Ausdruckskraft der zweiten Epoche (1916–1923 etwa) sammelt sich in den vielfältigen Dramenversuchen (Mittagsgöttin – Spiegelmensch – Bocksgesang – Schweiger), in denen der Dichter durch Rede und Gegenrede, Bild und Spiegelbild, durch immer erneute Zwiesprach mit sich selbst zur Klarheit und Güte sich durchkämpft. In dem umfangreichsten dieser Dramen, der magischen Trilogie vom Spiegelmenschen, Werfels Damaskusdichtung, schreitet der Held durch die Schuld der Selbstlüge, der Eitelkeit, der Untreue, des Gedankenmords, der Herrschsucht, durch die Welt des Scheins, der er selbst in der Gestalt des Spiegelmenschen zur Wirklichkeit verhilft, zum wahren Sein empor, zur Selbsterlösung durch Selbstvernichtung. Und dieser Weg wird Bild in farbigen Symbolen, in Gestalten und Landschaften eines phantastischen Orients – auf den Spuren der Wiener Zauberoper Mozarts, der Zauberposse Raimunds und Nestroys –, in einer betonten Freude am Spielhaften, Dekorativen, Schauspielerischen. Wenngleichwohl von diesen Werken nicht dieselbe reinigende Wirkung ausgeht wie von den Gedichten der Jugend, so darum, weil diese Epoche im Leben des Dichters mehr als jede andere Durchgang war, weil diese Dramen so sehr Werkzeuge der Selbstklärung sind, daß sie trotz des Aufgebots theatralischer Mittel keine Kräfte in den umgebenden Raum auszustrahlen vermögen.

Das ist erst wieder den Werken der nächsten, der epischen Epoche gegeben. Sie wird eingeleitet durch eine der künstlerisch vollendetsten Dichtungen Werfels, durch den Roman: »Nicht der Mörder, der Ermordete ist schuldig« (1920), der sich in der Geschlossenheit seines Aufbaus, in der feinen Abwägung aller technischen Mittel, in der Schärfe der Problemstellung und der Weite und Güte der Gesinnung durchaus mit den »Wahlverwandtschaften« vergleichen läßt. Der Roman behandelt ein in diesen erregten

X

Nachkriegsjahren besonders im Drama häufig auf-
gegriffenes Thema: die Spannung zwischen Vater und
Sohn, die unlöslichen Konflikte, die sich aus dem
Beieinander von Einheit des Bluts und Zwiespalt der
Gesinnung ergeben und die den Sohn bis an die
Grenze des Vatermordes treiben. »Nicht der Mörder,
der Ermordete ist schuldig« ist ein Meisterwerk der
Menschengestaltung; zum Epiker aber gehört noch
die Fähigkeit, Welt zu formen. Dies neue Können
bewährt Werfel zum erstenmal in »Verdi, Roman
der Oper« (1924). Das menschliche Thema des Werks,
der geheime, nie ausgetragene Gegensatz von Verdi
und Wagner, der Gegensatz zwischen dem reinen
Musikanten und dem literarischen Programmusiker,
die erschütternde Haßliebe Verdis, der sich doch am
Gegenbild des Rivalen seiner Eigenart und seines
Eigenwerts bewußt wird, dieser Seelenkampf ist hier
eingeschlungen in eine scharf, richtig und ruhig ge-
sehene Welt von Landschaften, Ereignissen und
Gestalten, in das Venedig der achtziger Jahre des
vorigen Jahrhunderts. Eine frühe und nie versiegende
Liebe Werfels zu Verdis Musik und eingehende historische Studien haben dieses Buch geschaffen, dessen
Wirkung durch die noch immer fortdauernde Verdi-
Renaissance an den deutschen Opern unterstützt
wird, an der übrigens Werfel durch neue Textgestal-
tungen und Bearbeitungen bedeutenden Anteil hat.
Außerordentliche Kraft, auch solche Charaktere see-
lisch zu durchdringen, die der eigenen Persönlichkeit
des Dichters fremd sind, zeigt die Novelle »Der Tod
des Kleinbürgers« (1926), in der tiefe sozialpsychologi-

sche Erkenntnisse blendende Formulierungen finden. Manches hier, wie in den vier Novellen »Geheimnis eines Menschen« (1927) und im »Abituriententag« (1928), läßt an den großen Wiener Novellisten der älteren Generation denken, an Schnitzler. Werfels Prosa unterscheidet sich indessen durch die stärkere Eindringlichkeit des ethischen Pathos. So im »Abituriententag«, der erschütternden Gewissensprüfung des alternden Mannes, des Untersuchungsrichters, der in einem Angeklagten den Klassenkameraden wieder-zuerkennen glaubt, dessen sittlichen Zusammenbruch er einst verschuldet hat. Mit dem bisher letzten Roman »Barbara oder die Frömmigkeit« (1929) betritt Werfel das Gebiet des weitschichtigen, große Stoffmassen bewegenden Zeitromanes.

Endlich bringt diese Epoche noch die interessanten Versuche Werfels, die dramatische Historie und Legende neu zu beleben, in »Juarez und Maximilian« (1924), »Paulus unter den Juden« (1926), »Das Reich Gottes in Böhmen« (1930). Wie im Verdiroman kommt es Werfel auch hier darauf an, tiefste persönliche Entscheidungen hinter der Fülle der geschichtlichen Erscheinungen zu erahnen, sei es die seltsam stumme Auseinandersetzung Maximilians mit dem unsichtbaren Juarez, sei es des Paulus Ringen mit Gamaliel als Ausdruck »der großen tragischen Stunde des Judentums«. Dabei glaubt Werfel die geschichtlichen Ereignisse so treu wie möglich wiedergeben zu müssen, da nur dann das historische Schauspiel die Aufgabe erfüllen kann, die er ihm gibt: »tiefere Rekonstruktion des Weltgeschehens« zu sein.

ANMERKUNGEN

Über das Verhältnis zu seinen Geschichtsquellen und den Begriff der dramatischen Historie sagt Werfel: »Die historische Wahrheit wurde in diesen Bildern streng gewahrt. Einzig der gedrängtere Ablauf der dramatischen Zeit und die Enge des theatralischen Raumes verlangten in der Behandlung von Daten und Personen jene Konzentration, die unter den Begriff der dichterischen Freiheit fällt.

Allerdings schreibt die epische Natur der Geschichte, wenn sie nicht vergewaltigt werden soll, eine bestimmte Folge von Ereignissen und Motivierungen vor, die oft genug dem unerbittlichen Gesetz der Tragödie zuwiderlaufen. Von altersher aber ist die dramatische Historie eine bewußte Form, die den Konflikt zwischen Drama und Epos versöhnen will.«

Werfels Hauptquellen sind, für die Ereignisse am Hofe Maximilians: Corti: Maximilian und Charlotte von Mexiko (Zürich, Amalthea-Verlag), für die Ereignisse auf Seite der Republikaner: Tweedie: Porfirio Diaz, 1906. Werfel hat sich in der Folge der Ereignisse, im Wortlaut gelegentlich, ja bis in Einzelheiten der äußeren Gestalt und Gewohnheiten der Personen eng an die Quellen angeschlossen. Die ganz wenigen nicht historischen Zutaten des Dichters sind im folgenden ausdrücklich vermerkt.

Das Drama behandelt nur die letzten zwei Jahre des unglücklichen mexikanischen Unternehmens. Die Vorgeschichte ist kurz folgende: Im Jahre 1861 greifen Frankreich, Spanien und England diplomatisch und militärisch in die seit Jahren dauernden inneren Wirren Mexikos ein, zunächst um finanzielle und wirtschaftliche Forderungen ihrer in Mexiko lebenden Staatsangehörigen zu unterstützen. Sie benutzen die augenblickliche Schwäche der Vereinigten Staaten, in denen gerade die kriegerische Auseinandersetzung zwischen Nord- und Südstaaten sich vollzieht und die also zunächst nicht mächtig genug sind, um jeder Einmischung in amerikanische Angelegenheiten als Verletzung der Monroedoktrin entgegenzutreten. Trotzdem ziehen sich England und Spanien bald wieder aus dem Unternehmen zurück. Napoleon III. dagegen — unter dem Einfluß mexikanischer Emigranten, der unterlegenen konservativ-klerikalen Partei — beharrt auf Fortführung, läßt von seinen Truppen unter Bazaine nach heftigen Kämpfen gegen die republikanische Partei des Juarez große Teile des Landes besetzen und dem österreichischen Erzherzog Maximilian die Kaiserkrone anbieten (1864). Nach anfänglichen Erfolgen der neuen Regierung beginnen ernste Schwierigkeiten, als im Mai 1865 nach Beendigung des Sezessionskrieges die Vereinigten Staaten wieder freie Hand haben.

Seite 10: Die Vereinigten Staaten hatten Maximilian trotz seiner zahlreichen Bemühungen nicht anerkannt, sondern sahen allein Juarez als rechtmäßigen Präsidenten des Landes an.

XIV

den letzten Jahren der österreichischen Herrschaft, war Maximilian Gouverneur der Lombardei gewesen.

Seite 32: Guttierez, Hidalgo: Mexikanische Emigranten, Führer der Delegation, die Max. in Miramar, seinem Schloß bei Triest, die Krone anbot. Hidalgo, später Max.'s Botschafter in Paris, hatte als erster Napoleon den Gedanken nahegelegt, in Mexiko einzugreifen und einen Kaiser einzusetzen.

Seite 46: Kampf um das Konkordat: die ersten Schwierigkeiten entstanden für Maximilian dadurch, daß er zwar von der klerikalen Partei ins Land gerufen war, aber nicht die Absicht hatte, durchaus in ihrem Sinne zu regieren. So wollte er auch die Reformgesetze des Juarez nicht vollständig wieder aufheben.

Seite 50: Priester Hidalgo begann im September 1810 die Aufstandsbewegung gegen Spanien, die im September 1821 mit der Unabhängigkeitserklärung Mexikos abgeschlossen wurde.

Seite 55: Die Kreolen sind die Nachkommen der spanischen Einwanderer.

Seite 69: Die erwähnte Weisung Napoleons ist vom 17. August 1865.

Seite 72: Diese beleidigende Rücksendung des Bildes ist nicht historisch.

Seite 85: Der König von Belgien starb im Dezember 1865.

JUAREZ UND MAXIMILIAN

Dramatische Historie
in 3 Phasen und 13 Bildern

PERSONEN

MAXIMILIAN, Erzherzog von Österreich, jetzt
       Kaiser von Mexiko
CHARLOTTE
AUGUSTIN ITURBIDE, dreijährig
MONSIGNORE PELAGIO LABATISTA, Erz-
       bischof von Mexiko und Puebla
DON THEODOSIO LARES, kaiserlicher Mini-
       ster, der konservativen Partei an-
       gehörend
DON LACUNZA, kaiserlicher Minister, der kon-
       servativen Partei angehörend
LIZENTIAT DON SILICEO, der gemäßigt liberalen
       Partei angehörend
MIGUEL MIRAMON, mexikanischer General im
       Dienste der Monarchie
THOMAS MEJA, mexikanischer General im Dienste
       der Monarchie
LEONARDO MARQUEZ, mexikanischer General
       im Dienste der Monarchie
RAMON MENDEZ, mexikanischer General im
       Dienste der Monarchie
OBERST MIGUEL LOPEZ
DON JOSÉ BLASIO, Privatsekretär des Kaisers
DR. SAMUEL BASCH, Leibarzt
STAATSRAT STEFAN HERZFELD, Jugend-
       freund Maximilians
PRINZESSIN AGNES SALM-SALM
PROFESSOR DR. BILIMEK, Direktor des Staats-
       museums zu Mexiko
KANONIKUS SORIA

KAMMERDIENER GRILL
KORPORAL WIMBERGER, von der kaiserlichen
          Armee
YATIPAN,   von der kaiserlichen Armee
POLYPHEMIO, von der kaiserlichen Armee

FRANÇOIS ACHILLE BAZAINE, Marschall von
          Frankreich, Chef der Intervention
          in Mexiko
EDOUARD PIERRON, Kapitän der Zouaven und
          Generalstabsoffizier

PORFIRIO DIAZ, General der rechtmäßig repu-
          blikanischen Regierung unter Don
          Benito Juarez
MARIANO ESCOBEDO, General der rechtmäßig
          republikanischen Regierung unter
          Don Benito Juarez
RIVA PALACIO, General der rechtmäßig repu-
          blikanischen Regierung unter Don
          Benito Juarez
OBERST RINCON-GALLARDO
LIZENTIAT ELIZEA, Sekretär des Präsidenten
          Juarez
CLARK, Kriegsberichterstatter des New York Herald
EIN STADTVERORDNETER VON
          CHIHUAHUA

Mitglieder des kaiserlichen Staatsrates, Hofdame Madame Rarrio, kaiserliche Offiziere und Soldaten, zwei
Kapläne, juaristische Offiziere, Soldaten und Beamte,
ein Mesner des Pater Soria, Bürger und Volk.

Vom Herbst 1865 bis zum Sommer 1867 in Mexiko

ERSTE PHASE

ERSTES BILD

REGIERUNGSSITZ DES BÜRGER-
PRÄSIDENTEN DON BENITO JUAREZ
ZU CHIHUAHUA IM NORDEN MEXIKOS

Ein kahles und ziemlich verfallenes Amtslokal, das
noch aus der Zeit der spanischen Herrschaft stammt.
Tiefe und hohe Rundbogenfenster im Hintergrund.
Die zerbrochenen Scheiben sind mit Papier verklebt,
die Wände mit Anschlägen, Manifesten, Erlässen
behängt, die immer mit dem groß gedruckten Auf-
ruf schließen: ›Es lebe die rechtmäßige Re-
publik‹. Links eine Tür, die durch flüchtig angebrachte
Matratzen gepolstert ist. Rechts die große Ausgangs-
tür. Zum Licht gerückt ein Beamtenschreibtisch, an
dem der Sekretär des Präsidenten Lizentiat Elizea
arbeitet. Auf der Holzbank für wartende Parteien
hockt die unbeweglich starrende Figur des Stadt-
verordneten von Chihuahua

Mister Clark der Kriegskorrespondent des ›New York
Herald‹ geht mit großen selbstbewußten Schritten
hin und her

Clark
Donnerwetter, Herr! Der hochverehrte Señor
Benito Juarez scheint ein Abstraktum zu sein.

Elizea

(zuckt die Achseln, um anzudeuten, daß er nicht helfen könne)

Clark

(er hat eine rasche scharfe Art zu reden)

Ich habe die eindringlichsten Empfehlungen aus Washington. Von unserem Staatssekretär Seward und von Ihrem Gesandten Romero. So gut rekommandiert zu arbeiten ist für einen ehrlichen Reporter mit fünfzehn Dienstjahren eine Schande. Wo bleiben da die Schwierigkeiten, dacht ich mir. Wohl bekomms! Seit Wochen mache ich diesen geheimnisvollen Rückzug der rechtmäßigen Regierung mit. Von San Luis nach Saltillo, von Saltillo nach Monterey, vom Meere hieher in dieses Nest, das man nicht aussprechen kann, Chi ...

Elizea

Chihuahua! Belieben Sie an Ihr Chicago zu denken!

Clark

Ach, es ist das Ende bewohnter Welt! ... Und was soll dieser Rückzug? Bazaine ist sehr weit. Kein Gefecht, keine Sensation, kein Abenteuer bietet sich uns! Ich strebe ein Interview mit dem Bürgerpräsidenten an, um meine Zeitung zu bedienen. Interview?! Ich habe trotz Gewalt und List die Erscheinung des Don Juarez noch nicht zu Gesicht bekommen. Existiert er überhaupt?

10

Elizea

Arbeit Tag und Nacht! Der Bürgerpräsident wahrt seine Einsamkeit.

Clark

Mein Chef schreibt mir Drohbriefe. Unser Publikum wünscht bewegte Ereignisse und keine romantischen Stimmungen. Die Berichterstattung von den Schauplätzen unseres Sezessionskrieges verlief einwandfrei. Nur ich hier in Mexiko stelle mein Blatt nicht zufrieden. Ich riskiere meine Stellung, wenn Sie mir das Interview nicht ermöglichen, Señor Sekretär!

Elizea

Geduld! Sie sehen, die Herren Generäle sind noch beim Präsidenten.

Clark

Zwei Stunden schon und vorher der Ministerrat doppelt so lange!

Elizea

Man trifft große Entscheidungen. Die Zeit drängt. Die Generäle kommen von weit her und verreisen heut nachts.

Clark

Ja, die Herren Generäle sind sehr fern vom Hauptquartier stationiert. Wer weiß wo? Er ist überhaupt ein Rückzugsgenie, der Señor Juarez ... In Verakruz bei der Landung hätte er diese freche Invasion ersticken müssen. Transportmittel vernichten, die Straßen zerstören, kein großes Gefecht annehmen, aufhalten, aufhalten und die verfluchten Franzosen im gelben Fieber umkommen lassen ... Er aber gibt die Chancen aus der Hand, räumt ohne Kampf das Hafenfort, läßt die Tür für Louis Napoleons Rothosen-Pack frei und für diesen eingebildeten Habsburger!

Elizea
(immer arbeitend)
Krankheiten muß man reifen lassen.

Clark
Wenn man unbedingt an ihnen sterben will. Die Monarchie, verehrter Lizentiat, ist ein gefährlich Ding für Völker mit mangelhafter Ausbildung. Da ist solch ein gottverdammter Pomp dabei.

Elizea
Es hat sich Einer schon angemaßt, Kaiser von Mexiko sein zu wollen. Sieben Soldatenkugeln haben sein Urteil vollstreckt!

Clark
Iturbide?! Das war ein militärischer Parvenu, ein Hergelaufener! Maximilian, Herr, ist ein Habsburger, ein Bruder und Cousin aller Monarchen Europas, ein Nachkomme Karls des Fünften, der vor dreihundert Jahren schon über Mexiko geherrscht hat. Hols der Teufel, das wirkt im lateinischen Amerika! ... Adelsglanz und Legitimität!

Elizea

Legitimität!? Auch Montezuma, wahrlich ein legitimerer Kaiser Mexikos, ist unter den Pfeilen seines Volkes gefallen.

Clark
(hält im Auf und Abgehen inne)
Don Benito Juarez ist Indianer, nicht wahr? Azteke?

Elizea

Azteke! Ja, das ist er! Und reinster Herkunft.

Der Stadtverordnete
(der bisher reglos vor sich hingestarrt hat, erhebt sich und drückt devot seinen Sombrero gegen die Brust. Er ist ein alter tiefgebräunter Mestize)
Ihr Herren, verzeiht! Unser Bürgerpräsident ist nicht vom Stamme der Azteken, sondern Zapoteke!

Clark
Und was ist der Unterschied?

Der Stadtverordnete
(wird verlegen, weil sein ungelenker Kopf zu einer Definition gezwungen ist)
Die Azteken sind sehr sanft. Aber die Zapoteken haben das kälteste Blut.
(er schweigt über die eigene Formulierung erstaunt)

Elizea

Ja, sie sind die starrsten unserer Indianer. Zu Zeiten des Cortez sollen sie die unbeugsamsten Independenten gewesen sein.

Der Stadtverordnete

Ich habe einen Geschäftsfreund im Süden. Der hat einen Compadre und dessen Vater war der Patron von Señor Juarez, als er im Kaufmannsladen gedient hat.

Eine Klingel schrillt

Elizea

(erhebt sich rasch und geht durch die gepolsterte Tür ab)

Clark

(zum Stadtverordneten)

Ah?! Sie kennen also die Jugend des großen Mannes. Sehr interessant!

Der Stadtverordnete

(ringt seiner Schweigsamkeit mühsam die Erzählung ab)

Von niedrigen Viehhirten stammt er ab, unser Präsident. Dem kleinen Jungen gingen die Kühe durch und zertrampelten ein Weizenfeld. Er lief davon in die nächste Stadt. Denn hart waren seine Leute. Da stand es nun auf der Plaza und jammerte mit seinen armen indianischen Worten, das Kind. ... Eine Sprache zu reden verstand's nicht.

Clark

(hat sich flüchtig Notizen gemacht)

Sagt mir, lieber Mann! Eure Indianer gleichen unseren nordischen Rothäuten nicht. Sie sind ja hier das Volk, die große Masse. Sie vermischen sich mit den Weißen, leben in den Städten und tragen unsere Kleidung. Aber gibt es nicht Stämme, die ihre Religion und Sitte bewahrt haben?

Der Stadtverordnete
Oh, Señor! Viele hunderttausend in der Sierra Madre, in der Sierra Leone, in allen Gebirgen! Sie verschmähen die Sakramente, sie haben ihre Altäre, ihre Zauber, ihre Tempeltrommel, ihre Götzen, die sie mit den Federn des Truthahns schmücken. Sie beten die Sonne an und warten auf den lichten Mann, der da kommen wird. Dies aber ist nicht Christus.

Clark
Und was geschah weiter mit dem Knaben Juarez?

Der Stadtverordnete
Der Patron nahm ihn auf, gab ihm Brot und Arbeit. Später gar schickte er ihn in die Schule. Er kam zu den Priestern. Scharfen Geistes war er. Darum wollten sie aus ihm einen Bischof machen.

Clark
Was? Juarez, der Todfeind der Kirche und der Pfaffen, der Mann des Reformgesetzes, das die Kirchengüter aufhebt, Juarez ist Theologe gewesen?

Der Stadtverordnete
Er kennt seine Teufel!

Clark

(*murmelt*)

Und diesen Mann bekomme ich nicht zum Interview?

Der Stadtverordnete

(*aus der Tiefe qualvollen Erlebens hervor*)

Wo er ist, ist Rettung!

(*Eine Pause*)

Man könnte ja leben. Aber einige Menschen kommen ohne Politik nicht aus.

Clark

Sie wollen zum Präsidenten?

Der Stadtverordnete

Er hat mich berufen ... Ich bin Abgesandter dieser Stadt ... Weh uns! Es kann nichts Gutes sein.

Die republikanischen Generäle Mariano Escobedo, Riva Palacio und Porfirio Diaz treten aus der Tür des Präsidenten, hinter ihnen Elizea. Die Generäle haben nicht die grellen Phantasieuniformen der kaiserlichen Offiziere Mexikos. Escobedo und Palacio tragen einfache graue und lange Waffenröcke, graue Hosen mit roten Streifen und Reitstiefel à la Wellington, nur Porfirio Diaz trägt das rote Garibaldihemd (das auch in Mexiko zur symbolischen Tracht der demokratischen Revolution geworden ist), ferner einen Patronengürtel und den nationalen Sombrero. Er ist ein kleiner funkelnder Mensch mit äußerst konzentrierten Zügen und einem dünnen Schnurr- und

16

Fliegenbart. Er muß sehr viel jünger wirken als der vornehme Riva Palacio und der finster vollbärtige Escobedo

Die Generäle
(nehmen den Vordergrund)

Elizea
(der mit den Generälen eingetreten ist, winkt dem Stadtverordneten und geleitet ihn nach links, ins Arbeitszimmer des Präsidenten. Er kehrt sogleich wieder und zieht sich mit dem Reporter in eine Fensternische zurück)

Riva Palacio
Sind Sie ebenso sehr erschöpft, meine Herren, wie ich? Der Mann ist ein logischer Schraubstock. Ich habe Kopfschmerzen.

Porfirio Diaz
Mir geht es anders. Auf mich wirkt dieser Graukopf, wie eine Frau, die man fürchtet und anbetet. Er, der Klare, reizt zu Tollheiten auf, die ich für ihn begehen möchte.

Riva Palacio
Jetzt erst komme ich recht zum Bewußtsein und sehe Dich, mein Porfirio! Überall singen sie ein Lied von Deiner Flucht aus Puebla. Das war ein Teufelstück, Freund, ein Heldengedicht...

Porfirio Diaz
Nur eine Indianergeschichte.

Mariano Escobedo

Wir alle sind stolz auf Sie General! Und was
noch mehr ist, wir sind nicht eifersüchtig.

Porfirio Diaz

Meine Herren! Es gehört zu den Ungerechtig-
keiten des Lebens, daß der Rausch, den es bietet,
mehr Bewunderung erntet, als die Mühe, die es
fordert. Als ich zwanzig Meter hoch über der
Straße hing, der Sandsteinheilige, um den mein
Seil geschlungen war, bedenklich schwankte, und
der harte Postenschritt unten immer näher kam,
das ... das war ein unbeschreiblich großer Augenblick, ein Augenblick mächtigen Glücks.

Clark
(hat sich den Generälen genähert)

Ich habe die große Ehre mit den führenden
Generälen der Republik zu sprechen!

Die Generäle
(streifen den Mann mit einem abwehrenden Blick)

Clark

Die Vereinigten Staaten blicken mit Freundschaft
und Bruderliebe auf den Heldenkampf des mexikanischen Volkes gegen Fremdherrschaft und auf-
gezwungene Monarchie. Es war ausdrücklicher
Wunsch des Weißen Hauses, daß ein Korrespondent
das Zeitungspublikum der Union mit sympathischen
Nachrichten bediene ...

Riva Palacio

Sympathische Nachrichten sind nicht zu vermelden.

Clark

Darf ich Eurer Exzellenz meine Beglaubigung ...

Riva Palacio

Danke!

Clark

Die Herren Generäle werden mir einige Fragen nicht übelnehmen. New York brennt darauf ...

Mariano Escobedo

Don Palacio, Sie sind der Gelehrte unter uns. Stehen Sie diesem wißbegierigen Zeitungsmann Rede!

Riva Palacio

Wer führt das Wort, wenn Porfirio Diaz zugegen ist?

Clark
(zu Diaz)

Ich verehre in Ihnen, Herr General, den Helden des fünften Mai.

Porfirio Diaz

General Ortega, nicht ich, hat in Puebla kommandiert. Diese Tat ist heut eine schöne Erinnerung ohne Konsequenz.

Clark

Seit Ihrer staunenswerten Flucht aus der Gefangenschaft sind erst einige Tage vergangen. Und doch ...

Porfirio Diaz

Ich hatte dem Befehl meines Präsidenten, der den Zeitpunkt bestimmte, zu gehorchen.

2*

Clark
Und kehren Sie jetzt zu Ihren Truppen zurück?

Porfiria Diaz
Die Präsenz-Standesliste meiner Truppen kann ich
Ihnen auswendig hersagen: Ein Oberst, zwei Subal-
terne, ein Hornist, acht Mann!

Clark
Um Gotteswillen! Dies ist Scherz!

Porfirio Diaz
Bitterer Ernst! Verkünden Sie Ihrem Publikum, daß
wir kein interessantes Schauspiel aufführen, sondern
um unser Leben und die Demokratie Amerikas
kämpfen.

Clark
Aber, meine Herren, man spricht doch von republikanischen Divisionen?

Riva Palacio
Der Feind tut uns diese Ehre nicht an. Erlässe der
kaiserlichen Regierung bezeichnen unsere Soldaten
als Dissidenten und Bazaine tituliert sie Banditen.

Clark
Und die größeren Verbände?

Mariano Escobedo
Der letzte ist von den Franzosen bei Oajaca
vernichtet worden.

Clark
Die Macht Bazaines und Maximilians soll über-
schätzt werden!

20

Porfirio Diaz
Keineswegs! Sie verfügen über vierzigtausend
Franzosen, Belgier, Österreicher, über die Sieger
von Magenta und Sebastopol, über die geschultesten
Offiziere Europas, die aus unserem armen Volk
wohlexerzierte Formationen bilden werden.

Clark
Die Lage kann so verzweifelt nicht sein. Auf Ihrer
Seite, Exzellenz, kämpfen die Besten. Die Talente
der Nation, die wahren Patrioten! Und dann die
Protektion revolutionärer Welthäupter! Garibaldis
Freundschaft!

Porfirio Diaz
Sie irren! Unsere bewährtesten Strategen, General
Uraga und General Vidaurri sind Maximilians innige
Freunde geworden. Und die Patrioten reißen sich
um seinen Guadelup-Orden ... Garibaldi? Ja!
Aber wo ist Garibaldi?

Clark
Der Erzherzog also hat Erfolg?

Porfirio Diaz
Ernste Grazie und Distinktion wirken immer in
Mexiko.

Clark
Er soll sehr liberal denken.

Porfirio Diaz
Ein europäisches Märchen, mit dem jeder Prinz
sein Debüt ziert.

21

Clark

Ist es wahr, Herr General, daß Maximilian Ihnen
Anträge gemacht hat?

Porfirio Diaz

Während meiner Gefangenschaft! Zuerst beschied
er mich zur Audienz. Als ich nicht kam, sandte
er einen Wagen, der mich zu geheimer Zu-
sammenkunft abholen sollte. Das drittemal be-
mühte er sich selbst zu mir. Dreimal habe ich die
Begegnung abgelehnt. Dennoch hat er mir sein
Bild verehrt.

Elizea
(tritt hinzu)

Auch der Präsident hat sein Bildnis erhalten. Ein
sehr großes, mit einer Inschrift.

Riva Palacio

Welche Inschrift?

Elizea

„Der Sinn der Feindschaft ist die Versöhnung."
Und darunter mit starken Lettern: „Maximilian."

Riva Palacio

Und Señor Juarez?

Elizea

Erst studiert er das Gesicht zwei Minuten lang,
dann legt er das Bild fort und sagt: „Der Mann
spiegelt sich."

Clark

Meine Herren Generäle! Ist sich der Bürgerpräsident seiner schwierigen Lage voll bewußt?

22

Hat er Kenntnis von dem Verrat seiner Offiziere, von der Stimmung selbst liberaler Kreise für Maximilian?

Porfirio Diaz
Er weiß alles und besser als Maximilian selbst.

Clark
Und?

Porfirio Diaz
Nun! Er ist sehr zufrieden!

Clark
Zufrieden? Verstehn Sie das?

Porfirio Diaz
Nein! Aber er hat recht!

Clark
(starrt ihn an)

Porfirio Diaz
Benito Juarez fügt sich nicht in undeutliche Situationen. Er ist gewohnt, dem Schicksal auf den Grund zu gehn.

Clark
Himmel! Und was sind seine Absichten?

Riva Palacio
Gentleman! Diese Frage ist sehr neugierig. Glücklicherweise können wir sie nicht beantworten. Wir Generals en chef gehen heute abend nach Süd, Ost, und West auseinander ...

(er zeigt einen versiegelten Brief)

Sehen Sie diese verschlossene Ordre! Jeder von uns hat solch ein delphisches Couvert bekommen. Lesen Sie!

Clark
(liest)

„Erst am Bestimmungsort zu öffnen!"

Porfirio Diaz

Hier innen steckt die Zukunft Mexikos!

Einige ängstliche Gestalten
(drängen sich in der Eingangstür)

Clark

Und Sie fürchten sich nicht, mein Herr General, so ins Ungewisse, Gefährlich-Unbekannte ausgesandt zu werden?

Porfirio Diaz

Mann! Dies gerade ist herrlich! Ich reite am liebsten im dichten Morgennebel, aus dem noch alles werden kann!... Juarez ist ein Prophet. Wir aber sind jung!

Clark

Wir sind jung. Dieses Wort ist Amerika.

Der Stadtverordnete
(kommt totenbleich aus der Türe links, die ein wenig offen bleibt)

Ich habe es gewußt...

(zu den Gestalten, die ihn erwarten)

Ihr da! Ihr Brüder! Wir sind verloren. Morgen verläßt uns der Präsident. Er, die Regierung, die

Garde ... Sie ziehen nach Norden an die Grenze.
Und uns verderben die Schwarzen! Die Franzosen
kommen, der Fremde kommt! Sie werden sich
rächen. Sie töten Kinder! Oh, oh! Was soll aus
uns werden?

Jammernde Rufe

Porfirio Diaz
Ruhig Bürger! ... Ihr seid in Sicherheit ... Für
Euch ist gesorgt! ... Keine Furcht! ... Es lebe
die Republik!

(leise zu den Generälen)
Meine Herren! Gehen wir! Zeigen wir uns in der
Stadt!

Mariano Escobedo
Gut! Gehen wir!

Porfirio Diaz
Auf die Plaza, Bürger! ... Es lebe die Republik!

Gepreßte Rufe
Es lebe die Republik!

Elizea
Leise! Ruhe im Vorsal des Präsidenten!

Generäle, Stadtverordneter und Bürger
(ab)

Clark
An den Rio del Norte!? Die Sache steht schlimm.

Elizea
Mein Herr Korrespondent! Das können wir beide
nicht beurteilen.

Clark
Aber das ist ja nicht mehr Rückzug, das ist Flucht!
Bis an unsere Grenze?!

Elizea
Ein guter Springer nimmt einen weiten Anlauf.

Clark
Anlauf genug! Wo werden wir morgen sein?

Elizea
*(winkt dem Reporter und weist auf den schmalen Spalt
der Tür zur Linken)*
Sehen Sie!

Clark
*(nähert sich neugierig, blickt kurz durch den Spalt,
und kommt sogleich erschrocken und kleinlaut nach vorn)*
Herr! Er hat mich angeschaut.

Elizea
Er hat Sie nicht angeschaut.

Clark
Ich bin kein Feigling. Aber mein Herz galoppiert.

Elizea
Er hat Sie nicht gesehen. Er ruht.

Clark
Mit solch starren Augen!?

26

Elizea

Er schläft nicht, er wacht nicht, er ruht. Wie immer nach großen Anstrengungen.

Clark

Ich glaube, ich werde auf dieses Interview verzichten.

Elizea

Und dazu haben Sie mich wochenlang gequält, Mister Clark?

Clark

Mein Chef muß sich gedulden. Ich werde ihn vorerst schildern.

Elizea

Wie?

Clark

Den Titel weiß ich schon: „Der Magus der Revolution." Wie finden Sie das?

Elizea

Schön, aber falsch. Don Juarez ist die schlichte Vernunft selbst!

Clark
(*der immer wieder nach links schielt*)

Wollen Sie nicht auf jeden Fall diese Tür schließen?

Der Vorhang fällt

ZWEITES BILD

TERRASSE DES KAISERLICHEN LUST-SCHLOSSES VON CHAPULTEPEC

Sternhelle Nacht. Der Hintergrund ist offen, denn die Terrasse ist auf einem Vorsprung des Grashüpferfelsens gebaut, der die Burg der alten Aztekenkaiser trug. Steinbänke. In der Mitte des Raumes ein Tisch mit Windlichtern.

Ehe der Vorhang aufgeht, hört man eine angenehme Tenorstimme, die zum Habanera-Rhythmus einer Guitarre einen schmerzlichen Gesang vorträgt

Maximilian

(Sein schmales Gesicht hat den gespannt aufmerksamen Ausdruck eines Horchenden, dem die Menschen tief fremd sind, der ihre Rede nicht recht versteht und dennoch immer auf der Höhe der Situation sein will. Der blonde, zweigeteilte Bart verschleiert nur die Jugendlichkeit der Züge und ein sehr wenig durchgebildetes Kinn. Der Kaiser pflegt oft mit der Hand durch den Bart zu fahren, als würde er ihn stören. Die Gestalt ist sehr groß, was dem kleinen mexikanischen Typus gegenüber besonders auffällig wird. Maximilian leidet an der Verlegenheit der Hochgewachsenen, er leidet an der sonderbaren Scham der

28

Gutrassigen angesichts unfeiner und verdorbener Er-
scheinungen. In erregten Augenblicken versucht er die
Fessel seiner Standes-Manieren zu zerreißen. Seine
joviale Herzlichkeit ist dann nicht ganz natürlich. In
schlaffen Momenten zeigt er das Liebenswürdig-Auto-
matische altösterreichischer Adelshaltung. Er trägt an
diesem Abend einen langen feierlichen Schlußrock und
einen einzigen großen Orden)

Oberst Miguel Lopez

(*ist ein unglaublich eleganter Mann Ende der Dreißig.*
Er trägt die höchst überladene Uniform der kaiser-
treuen Offiziere. Das sanfte Gesicht mit dem rötli-
chen Schnurrbart, weit-auseinanderstehenden Schlitz-
augen, weichen Zügen, zeigt Freundlichkeit, Beschei-
denheit, es ist eine Liste aller gesellschaftlichen
Tugenden. Der Oberst bietet dem Partner ein unver-
änderliches Lächeln dar, wodurch dieses Gesicht oft
zu neurasthenischer Maskenhaftigkeit erstarrt. Lopez
ist der Sänger des Liedes gewesen. Ein wenig echauf-
fiert fährt er sich jetzt mit dem Taschentuch über
die Stirn)

Zwei indianische Musikanten entfernen sich. Ins
Schweigen der Szene rauscht der entfernte Lärm eines
Gartenfestes

Maximilian

Wunderschön, mein lieber Lopez! Welch exzellente
Stimme! Sie sollten Italiener sein! Von meiner
Mailänder Regierungszeit her bin ich Fachmann.
Brillant!

29

Lopez

Eure Majestät ist allzu gnädig. Wie jeder Soldat
dilettiere ich ein wenig. Der militärische Dienst
heißt zur Hälfte: Warten! Man muß sich beschäftigen.

Maximilian
(*herzlich*)

Es gibt nichts, was ich an einem Menschen mehr
schätze als musische Begabung. Ein wahres Bruder-
gefühl flößt uns doch nur ein künstlerisches Naturell
ein . . .

(er erschrickt ein wenig über diese Empfindsamkeit)
Ich möchte Sie ganz an meinen Hof ziehen . . .

Lopez

Eure Majestät überschüttet mich mit Gnadenbeweisen.
Sie haben geruht, Taufpate meines Kindes zu sein.

Maximilian

Ich vergesse nicht, Herr Oberst, daß Sie der erste
mexikanische Offizier waren, der auf diesem Boden
der Kaiserin und mir gute Dienste geleistet hat.
Als Sie auf der prekären Reise von Verakruz neben
unserer Diligence ritten, haben wir in Ihnen den
Kavalier kennengelernt. Ihre Freunde preisen die
Tapferkeit des Offiziers.

Lopez

Ich durfte mich für das Kaiserreich schlagen.

Maximilian

Bei einer Neubesetzung der Flügeladjutantur oder
Personal-Ordonnanz werde ich Ihrer denken.

*Verlegenheitspause, die dem Ende einer Audienz oder
der Verabschiedung eines Besuchs vorangeht*

30

Lopez

Eure Majestät wird meine Kühnheit vergeben . . .

Maximilian
(blickt auf)

Lopez

Gewiß hat sich Eure Majestät mit dem Charakter
des Mexikaners schon vertraut gemacht!

Maximilian

Vollkommen! Und ich weiß jetzt, daß man mir in
Europa darüber sehr falsche Informationen ge-
geben hat. Ich habe eine Prédilection für diesen
Charakter. Eindeutig ist er gewiß nicht. Aber jener
Autor lügt, der vom Verrat spricht, „der durch des
Mexikaners Adern kreist".

Lopez

Er lügt und verleumdet, Sire! Bei der Madonna!
Ist ein Mann ein Verräter, der eine Frau heiß geliebt hat; und siehe da, nun ist sie alt geworden,
gewohnt, gewöhnlich, ausgesogen. Er muß davon
gehn, er muß sie verlassen, das Neue suchen, das
Andere . . .

Maximilian

Wir nennen das wankelmütig.

Lopez

Ein sehr moralisches Wort. Es gibt Männer, die
nur ein einzigesmal im Leben lieben. Manches Herz
aber läuft und flieht und kann nicht stehn bleiben.
Es ist gewiß nicht schlecht, aber es vergißt, muß
immer wieder vergessen . . .

31

Maximilian

Wollen Sie, lieber Lopez, sich mit diesem Gleichnis selbst charakterisieren?

Lopez

Oh nicht mich allein. Ihre Untertanen, Sire, sind ein vortreffliches Volk. Sie haben Blut und Opfermut, aber sie haben kein Gedächtnis . . .

Maximilian

Das heißt?

Lopez

Ich nehme mir die Freiheit, Eure Majestät, vor uns zu warnen. Im Großen und Ganzen natürlich . . . Der Kaiser braucht Männer von Kontinuität um sich.

Maximilian
(sein Gesicht strahlt)

Prachtvoll, lieber Lopez, Sie sind prachtvoll . . . Dieses Selbstmißtrauen kenne ich so gut an Euch allen, diese Sucht, sich selbst zu supplantieren. Eure Koryphäen in Rom und in Paris treiben das bis zur Narretei. Guttierez, Hidalgo, keiner hat den Mut zu seiner eigenen Person. Ich bot ihnen die Regierung an, keiner wollte mir folgen . . . Aber diese Schwäche ist mir sympathischer als das ganze arrogante Selbstbewußtsein des alten Europa. Ihr leidet an Euch, ja Ihr leidet an Euch!

(er geht, bewegt, auf und ab)

Ist es bei der traurigen Geschichte dieses einzigen Landes, unseres Vaterlandes anders möglich?

Drei Jahrhunderte spanische Ausbeutung, ein halbes
der gräßlichste Bürgerkrieg . . .
(er bleibt vor Lopez stehen)
Ich werde Euch helfen! . . . Sie bleiben in meiner
Nähe, Herr Oberst! Erwarten Sie detaillierte
Ordre!
(er reicht ihm die Hand)

Lopez
(beugt sich tief über die Hand des Kaisers)
Sire! Ich habe Sie aus aufrichtigem Herzen vor mir
gewarnt.

Maximilian
(verlegen huldvoll)
Ihre schöne Stimme soll mich noch oft erfreuen.
Ich danke Ihnen.

Lopez
(ab)

Maximilian
Das ist ihre Art. Sie beichten auf alle Fälle die
Sünden, zu denen sie fähig sind.

Doktor Samuel Basch
*(nähert sich. Der Leibarzt des Kaisers ist ein Mann
von unbestimmbarem Alter mit einem mageren Gesicht,
kurzem Vollbart und ruhiger Haltung. Er befolgt die
höfischen Formen mit lässiger Überlegenheit wie ein
geistiger und unabhängiger Mensch, der seine freie
Würde wahrt. Der Kaiser ist ihm gegenüber leicht
befangen, was er hinter großer Freundlichkeit ver-
birgt. Achtung vor dem Menschen, Freude an jedem*

3

Europäer seiner Umgebung und der traditionelle, hier
nicht bewußte, Antisemitismus des Aristokraten streiten
miteinander)

Maximilian
Sehr schön, lieber Doktor, daß Sie noch kommen.
Sie können ruhig sprechen, Grill und Blasio atten-
tionieren die Zugänge. Wie finden Sie die Kaiserin?

Basch
Eine Diagnose ist überflüssig. Ich kann Eure Majestät
mit ehrlichem Gewissen beruhigen. Die Kaiserin
ist gesund.

Maximilian
Aber diese Depressionen und Erregungsaus-
brüche?

Basch
Sind Folgen von Überarbeitung, von allzu brennender Aktivität und Hochspannung. Hier muß der
Kampf gegen die wachsende Nervosität einsetzen.
Es geht nicht an, daß Ihre Majestät um drei Uhr
nachts aufbricht, um das Hospital zu visitieren.
Ganz abgesehen davon, daß solche Ueberraschungen
für die Inspizierten ein Mißtrauensbeweis sind, –
(was von souveräner Seite besonders schwer wiegt)
– untergräbt die Kaiserin damit ihr Wohlbefinden.

Maximilian
Und die Ursachen der Hochspannung, ... wie
Sie's nennen?

Basch
Dieser Tätigkeitsdrang – Eure Majestät werden
verzeihen – ist eine an Frauen häufig beobachtete

34

Erscheinung. Man kennt die Unrast der Kinder-
losen sehr wohl.

Maximilian
(ablenkend)
Also nicht das Klima?
(zerstreut)
Dieses Klima?

Basch
Das Klima der Hochebene von Mexiko ist eine
Wohltat für jedermann!

Maximilian
Ja, Sie haben Recht, lieber Basch! Er ist köstlich,
der ewige Frühling . . .
(mit einer fast traurigen Bewegung)
Ananas, Azur und Kolibri! . . .
Manchmal zwar habe ich noch mein Meerweh, aber
das kommt schon recht selten vor.

Kammerdiener Grill
(tritt nah)

Maximilian
Grill, was gibt's?

Grill
(meldet)
Staatsrat Herzfeld

Maximilian
(erregt)
Ah! Herzfeld kommt aus der Hauptstadt, jetzt noch!
Bitte hieher!

Grill
(ab)

Maximilian

Das ist etwas sehr Wichtiges, etwas Außerordentliches ...

(unruhig huldvoll)

Ich danke Ihnen lieber Dokter! Adieu, adieu! Ich danke ...

Basch
(zieht sich zurück)

Stefan Herzfeld

(tritt rasch auf. Er ist 35 Jahre alt, um zwei Jahre älter als der Kaiser und hat das scharfe offene Gesicht des Marineoffiziers. Maximilian verliert ihm gegenüber wirklich die beengende Distanziertheit, die er sonst so oft zeigt. Herzfeld, den Jugendfreund, liebt er fast stürmisch. Diese Liebe wird mit skrupulöser Treue erwidert. Stefan Herzfeld trägt einen Reitanzug)

Maximilian

Herzfeld! Seitdem Du aus Europa zurück bist, ist ein guter Geist in alles gefahren. Welche Freud für mich, daß Du heut noch kommst. Du bist geritten ...

(weist auf eine Bank)

Setz Dich! Du wirst müd sein. Du erlaubst, daß ich nach Gewohnheit peripatiere. Willst Du eine Zigarre? Hier! Setz Dich! Ich bitt Dich, sei kommod!

Herzfeld
(wehrt ab)

Danke.

36

Maximilian
Was bringst Du?

Herzfeld
Ich bringe Eurer Majestät eine große Nachricht. Benito Juarez ist an den Rio del Norte zurückgegangen. Man sagt, er habe die Grenze der Union überschritten.

Maximilian
(erschüttert, leise)
Gott! Das ist zu viel! Das ist der Sieg!
(des Freundes Hände pressend)
Herzfeld! Das ist der Sieg!

Herzfeld
Ich habe diese Wendung nicht erwartet.

Maximilian
(rasch assoziierend)
Ja, lieber Herzfeld! Gott sei dafür gepriesen. Dein Pessimismus hat eine Schlappe erlebt ...
Juarez ist geflohen! Das bedeutet: Die sogenannte konstitutionelle Regierung hat aufgehört zu bestehen. Ergo entfällt für die Vereinigten Staaten jeder Grund, meine Position nicht anzuerkennen! Ergo ist auch der Konflikt zwischen Napoleon, der unsere Monarchie kreiert hat, und Washington erledigt. Frankreich hat freie Hand und Bazaine keine Ausrede mehr.

Herzfeld
Ich bin dem Wagen des Marschalls begegnet, der Hals über Kopf vom Feste heimgekehrt ist. Die

französische Kommandantur sah ich hell erleuchtet.
Ein Brief Kaiser Napoleons soll eingetroffen sein.

Maximilian

Die Franzosen werden jetzt ihre Vertragspflicht
erfüllen. Die politische Lage ist gegeben, die rasche
Pazifikation des Landes höchste Notwendigkeit.
Die fremden Truppen fressen nicht nur u n s e r Geld,
sondern ebenso das Prestige Napoleons und das
Vertrauen der Pariser Börse in die mexikanische
Anleihe . . . Klare Logik!

Herzfeld

Klare Logik, wenn der Indianer nicht a n, sondern
ü b e r die Grenze gegangen ist, was bisher ein
Gerücht bleibt.

Maximilian

Da nennt man die Österreicher leichtsinnig!
Melancholische Pedanten seid Ihr, die sich nach
dem Haar in der Suppe sehnen.

Herzfeld

Irgend etwas beunruhigt mich an dieser „Flucht".
Das Nachdrängen der Generäle war nicht eben
großartig. Und Bazaine, der große Feldherr, kümmert
sich den Teufel um die Armee. Er paradiert in
der Residenz, gibt diplomatische Diners und spielt
die Instanz über dem Kaiser . . . Warum zieht sich
Juarez zurück? Wer begreift das?

Maximilian

Vorhin, Herzfeld, als Du die Nachricht brachtest,
hatte ich einen Augenblick lang ein großes Erlebnis.

Plötzlich habe ich das Mysterium der christlichen Feindesliebe verstanden . . . Ich liebte Juarez . . .

Herzfeld
Er ist eine sonderbare Gewalt.

Maximilian
Er und Porfirio Diaz! Alle andern Mexikaner gebe ich für diese beiden Männer.

Herzfeld
Man weiß nichts von ihm. Nirgendwo ist sein Bild zu finden, kein Ausspruch wird kolportiert. Hinter einigen Erlässen verschwindet diese unpersönlichste aller Personen. Und doch hört man sie in der Ferne rollen! Ein Niagarafall! Der Mann ist nicht von diesem Jahrhundert!

Maximilian
(*schwärmend*)
Sein Tag ist vorbei . . . Warum kommt er nicht, warum? Er flieht und ich würde ihn in die Arme schließen. Ich könnte ihm die Mittel zur Größe leihen. Warum kommt er nicht?

Herzfeld
Das sind Träume. Er muß den Kaiser vernichten . . .

Maximilian
Warum?

Herzfeld
Weil er Kaiser ist.

Maximilian
Falsch! Auch Garibaldi gibt nach und ich bin freier als Viktor Emanuel.

Herzfeld
Garibaldi ist sentimentaler Europäer. Juarez aber schenkt kein Haar seines Rechtes her.

Maximilian
Recht?

Herzfeld
Er ist vom Volk erwählter Präsident.

Maximilian
Mich hat später das Plebiszit berufen.

Herzfeld
Eure Majestät wissen so gut wie ich, daß dieses Plebiszit durch klerikale Umtriebe und durch Brutalität französischer Platzkommandanten zustande kam.

Maximilian
Ich weiß es, aber ich wußte es nicht. Herzfeld, Du bist mein gutes und mein böses Gewissen.

Herzfeld
(fast wider Willen)

Ach, ich habe schon in Miramar gewarnt. Kann etwas Gutes auf Rechenfehlern errichtet werden?

Maximilian
Jeder Geniestreich ist ein glücklicher Rechenfehler. Alle Erkenntnisse, Taten, Siege der Geschichte, was sind sie anderes als durch Erfolg sanktionierte Rechenfehler?!

40

Herzfeld

Gebe es Gott!

Maximilian
(heftig)

Aber ich sehe hier keinen Rechenfehler. Herzfeld!
Niemals wirst Du den verbitterten Charakter des
k. k. Offiziers ablegen. Der Schreck der mili-
tärischen Erziehung steckt Dir zeitlebens in den
Knochen. Freund, ich kenne mein h ö h e r e s R e c h t,
die Aufgabe, die in mir wohnt. Recht und Unrecht,
das sind politische Nuancen. Man muß das Gute
oktroyieren. Einst wirst du mich begreifen.

Madame Barrio
*(die Hofdame der Kaiserin erscheint und verschwindet
sogleich)*

Maximilian

Herzfeld! du liebe Seele! Du warst ein guter
Bote jetzt ... Erwarte mich in einer Stunde! Hast
Du schon soupiert? Wende Dich an Grill! In-
zwischen leb wohl!

Herzfeld
(geht ab)

Charlotte
*(eilt auf Maximilian zu. Sie ist eine schön erblühte
Frau von 25 Jahren. Ihre Anmut wird durch die
wissende Reife nur gesteigert, die der tägliche Umgang
mit politischen Dingen einem Frauenantlitz verleiht.
Die Kaiserin erscheint in Abendtoilette mit Krinoline.
Ein großer Shawl, der landesübliche Rebozzo, ver-
hüllt das Decollete. Das wunderbare dunkle Haar ist*

41

*im Mailänder Stil geordnet, in der Mitte gescheitelt,
mit schwerem hängenden Knoten rechts und links,
und trägt ein halbkreisförmig großes, gezacktes Diadem.
Charlotte spricht gehemmt mit unregelmäßigem Rhythmus. Ihr Wesen ist erregt, provisorisch, gleichsam
immer Abschied nehmend)*

Maximilian
(küßt ihr die Hand)
Endlich hast Du Dich von diesem odiosen Fest
befreit, Carlota!

Charlotte
Ja! Vor dem Feuerwerk war die Pflicht getan. Mein
Schatz! Ich habe Barrio fortgeschickt. Wir sind
doch allein?

Maximilian
Du hast Dich wieder überanstrengt...

Charlotte
Alle Welt fordert hier sans gêne das peinliche
Shakehand. Aber das ist es nicht, sondern Ekel.
Ich habe etwas Grauenhaftes erlebt. Nein! Nichts
Ausgesprochenes, mein Schatz! Aber Bazaine hat
mit seiner kleinen Señora die Habanera getanzt.
Wie eine träge Riesenfliege. Der ganze, schwere
Mensch montiert, alt und mit schrecklicher Energie.
Man hat gelacht. Doch ich habe seinen Charakter
verspürt. Er ist unmöglich verliebt. Warum wird
der Ausdruck solcher Männer infernalisch böse,
wenn sie verliebt sind?

Maximilian

Er ist ein Tölpel. Was willst Du haben? Der Sohn eines Unteroffiziers von Bonaparte.

Charlotte

Er hat sich plötzlich sehr verlegen beurlaubt... Aber mein Schatz! Du bist emotioniert!?

Maximilian

Weißt Du es noch nicht?

Charlotte

Juarez...?

Maximilian

Ja! Es ist wahr, Carlota! Jetzt können wir unser Werk frei beginnen.

Charlotte

Max! Du mußt, Du mußt reussieren! Wie könnte ich sonst meine Schuld ertragen? Ich habe in Miramar gegen alle Widerstände, gegen Tod und Teufel gesagt: „Gut, gehn wir!"

Maximilian

Ich dachte einst, die schönste Prinzessin Europas sei meine Frau, aber ich habe die große moralische Chance meines Lebens geheiratet.

Charlotte
(schnell)

Rede nicht so! Ich bin nichts, ich bin gar nichts.

Maximilian

Du bist die beste Kaiserin.

Charlotte

Niemand mag mich leiden. Hochmut!? Aber es ist kein Hochmut, sondern Angst um Dich, weil ich Böse so ehrgeizig war.

Maximilian

Ohne Dich wüßte ich noch jetzt nicht, wer ich bin. Du hast mit Deinem herrlichen Mut meine Fesseln gelöst. Was war ich denn? Ein apanagierter Prinz! Zu elegantem Nichtstun und sarkastischem Verzicht verurteilt. Peinliches Schicksal! Allein wäre ich ihm nie entkommen.

Charlotte

Ich wußte nur: Alles, was Du anrührst, wird rein.

Maximilian

Du junges Geschöpf hast mich meine Familie kennen-gelehrt. Diese Binnenseelen, die ihr Atridenschicksal gar nicht begreifen. Du hast mich gelehrt, Franz Josef, meinen Bruder, zu erkennen. Ich hasse ihn nicht mehr, diesen korrekten Vorgesetzten seiner Untergebenen.

(mit einer weiten Geste nach Österreich hinüber)

Wartet nur eine Weile und Ihr werdet das Wunder erleben. . . . Dein kühner Sinn hat aus einem Öster-reicher einen Weltmenschen gemacht. Ich war ein Dilettant, der schlechte Reimereien verbrochen hat. Du hast das Wahrhaft-Schöpferische in mir erweckt. Ja, schau mich nur an! Es sind Tränen. Die guten Ströme meines Herzens wollen in die Welt. Dir danke ich die Liebe, die in mir ist.

Charlotte

Mein Gott! Ich? Ich Arme, ich Leere, ich Fruchtlose? Du siehst uns groß. Wir Menschen aber sind raffiniert und zwecksüchtig. An Dir, Kind, kann man nur schuldig werden.

Maximilian

Nein! Die Menschen sind vortrefflich. Wir müssen es aus ihnen herausholen.

Charlotte

Da ich nichts anderes kann, will ich für Dich arbeiten, Max!

Maximilian

Du arbeitest ja Tag und Nacht! Du reibst Dich auf! Das geht so nicht weiter...

Charlotte

Was bleibt mir übrig?

Maximilian

Karla! Erwache! Du siehst so elend aus! Du bist stets unruhig und gehetzt. Diese Angst ist Unsinn! Ich bin kein Schwärmer. Ich stehe fest und nicht umzuwerfen. Juarez ist geflohen. Unsere Monarchie ruht heute auf gesünderem Grunde als Österreich und Frankreich. Die konstitutionellen Kaisertümer dort drüben sind unwahr und längst schon verwest!... Amerika!... Hier ist die Zeit und ihr Leben! Die anderen souveränen Herren sind doch nur Polizeichefs ihrer privilegierten Klassen. Ich aber habe meinen neuen Kaisergedanken!

45

Charlotte
Nur Du hast ihn und nicht der pointilleuse Napoleon.

Maximilian
Die Republik hat Unrecht!... Setz Dich zu mir
Karla!
(sie nehmen Platz)
Das geläuterte Blut, die Ahnenerbschaft, die Legitimität sind Lebenswerte. Ich kann Menschenglück
begründen, denn ich will nichts für mich. Politik
aber ist immer nur die Resultante aus den Gier-
Instinkten von Parvenus. Ich zerstöre die Politik.
Höre! Nur eine Million Weiße gibt es im Land
und neun Millionen Indianer und Halbindianer.
Diese ungeheuren Massen gilt es zu erwecken und
zu gewinnen. Eine soziale Tat ohnegleichen. Ich
habe die neue Thronrede schon entworfen. Juarez
ist Indianer. Muß er nicht kommen? Wird ihn
meine Revolution nicht in die Knie zwingen? Ich
sehe den Tag...

Charlotte
(schließt die Augen)
Verzeih! Ich sehe das suffisante Gesicht des Erzbischofs, mit dem ich um das Konkordat gekämpft
habe, wie mit einem schwarzen Hund. Ich sehe den
Erz-Politiker Lares und die andern Mandarine.
Ich sehe die snobistische „gute Gesellschaft", die
für Einführung der Inquisition schwärmt. Ich sehe
den Plebejer Bazaine...

Maximilian
Juarez ist mehr als sie alle. Er mußte weichen.

Charlotte

Ich sehe das Nichts von Granit! Es ist stärker als Juarez!

(*Beide erheben sich*)

Maximilian
(*in die Nacht weisend*)

Meine Charlotte. Ich sehe die tausendjährigen Zypressen, die Taxodien Montezumas und Guatamozins. Ich sehe die Sterne über beiden Vulkanen. Ich sehe dieses verzauberte Land, auf dessen Hochfläche wir einsamen Seefahrer stehen wie auf dem Deck eines hinträumenden Schiffes. Und ich sehe noch etwas, was ich nicht erkenne und nicht sagen kann ...

Charlotte

Ich sehe Dich!

Maximilian

Und ich kann nicht bändigen, was aus mir will und wirklich werden: Das Neue, das Junge, das lang uns überdauern wird.

Charlotte

Lang uns überdauern ...

(*sie küßt seine Hand*)

Maximilian

Aber Carlota!

Charlotte

Ich muß Dir etwas sagen. Man hat mir verraten, daß Du den kleinen Enkel des früheren Kaisers Iturbide zum Kronprinzen erklären willst ...

Maximilian
(peinlich berührt)

Das ... ist ... nicht ganz so.

Charlotte
Du sollst nicht glauben, daß ich ein kleines Herz habe. Du mußt nichts hinausschieben oder mir verschweigen. Ich weiß, daß ich keine Kinder bekommen werde ...

Maximilian
Wie kannst Du das so dezidiert sagen?

Charlotte
Ich weiß es! ... Es ist ein sehr guter Plan, den kleinen Iturbide zu adoptieren. Du mußt einen erklärten Nachfolger bekommen. Das bindet die Nation fester an Dich! Und ... und wenn Du eigene Kinder haben willst, mein lieber Schatz, dann schick mich fort ...

Der Vorhang fällt

DRITTES BILD

IM KAISERLICHEN PALAST ZU MEXIKO

Sitzungssaal des Staatsrates. Rechts zwei überhöhte Tischreihen für die Mitglieder. Links die Estrade mit dem Präsidententisch des Kaisers. In der Mitte des Raumes ein leerer, grün bespannter Tisch. Große Tür im Hintergrund. Links kleine Tapetentür.

Die Versammlung besteht aus 25 Personen. Die sichtbarsten Plätze nehmen die Minister des Kaisers ein: Don Theodosio Lares, Chef des Conseils, Don Lacunza und der moderiert liberale Lizentiat Siliceo. Der indianische General Thomas Meja sitzt in der zweiten Reihe. Im Vordergrund, etwas abseits, steht der Erzbischof von Mexiko, Monsignore Felagio Labatista, in violettem Habit. Maximilian verliest seine Rede stehend. Er ist von einem kleinen Gefolge umgeben: Herzfeld, der Privatsekretär Don Luis Jose Blasio, Museumsdirektor Dr. Bilimek. Diese Herren stehen dicht hinter dem Kaiser. Man trägt durchwegs Frack, weiße Handschuhe, große Uniform mit vollem Ordensschmuck

Maximilian
(in der Vorlesung fortfahrend)

So entstand die heiße Liebe zu Unserem Vaterlande, nicht erst mit der Übernahme Unseres

4

schweren Amtes, sondern ward früh schon
göttliche Providenz in Unser Herz gesenkt.

(*Pause*)

Unseres erhabenen Urahns Kaiser Karl des
Fünften Feldherr, Fernando Cortez, hat, durch
harte Umstände gezwungen, schwere Schuld gegen
die edlen Völkerschaften dieses Landes auf sich
geladen. Es war immer Unser Traum, die Schuld
solcher Grausamkeit wieder gutzumachen. Denn in
der Geschichte der Menschen verjährt nichts und
alles muß beglichen werden.

Wir haben jüngst das Fest der Unabhängigkeit
gefeiert und dem heiligen Namen des Priesters
Hidalgo gehuldigt, der als erster das Werk der
Befreiung begonnen hat. Wie sehr hätten wir ge-
wünscht, an diesem Tage der Nation Unser Geschenk zu überreichen. Die Ankunft des Schiffes
verzögerte sich aber. So können Wir jetzt erst die
Waffen und Insignien des adeligen Kaisers Montezuma in Ihre Hände legen. Sie waren dem
Trophäenschatz des väterlichen Hauses Habsburg
eingereiht. Nun kehren sie zurück als hohes Sinnbild der wiedererstandenen legitimen Macht. Sie
allein kann das Vaterland erlösen, dem Unter-
jochung und Aufruhr so tiefe Wunden geschlagen
haben.

Die Insignien seiner ältesten Dynastie gehören nun-
mehr Mexiko.

Wir ordnen an, daß sie im Museum des Staates
zur Aufstellung gelangen.

(*er gibt Direktor Bilimek ein Zeichen*)

Direktor Bilimek

(ein ungelenker Naturgeschichtsprofessor tritt vor den leeren Tisch und zeigt, während er sie erklärt, die Objekte)

Hohe Versammlung! Dies ist die juwelengeschmückte Federnkrone Kaiser Montezumas. Er trug sie in der Stunde seines Märtyrertodes. Und hier sein goldener Schild. Auf ihrer nächtlichen Flucht aus dieser Stadt konnten die Spanier die beiden Schätze retten.

(er legt die Insignien auf den Tisch und zieht sich zurück)

Der Erzbischof Labatista

(tritt hinzu und betrachtet mit Nachlässigkeit das Geschenk des Kaisers)

Maximilian

(liest)

Nicht um das Sinnbild allein ist es Uns zu tun. Unser Herz verfolgt einen Lieblingsgedanken. Noch immer wie in ältesten Zeiten bildet die Urrasse, einst Herrin im Land, die Masse der Bevölkerung. Sie wurde von der vornehmen Kulturstufe, die rings die Denkmäler bezeugen, in Elend und Verrottung gestürzt. Muß Unser Herz nicht bluten, wenn wir die hohen Gaben jener Indianer bewundern, die sich aus den trüben Bedingungen ihres Stammes emporgearbeitet haben? Wieviel Menschen-Gold könnte gehoben werden? Es liegt noch nicht in Unserer Macht, den Pauperismus

abzuwenden. Aber des seelischen, sittlichen Elends
erbarmen Wir Uns tief.

Hohe Versammlung der Notablen Mexikos! Trotz
aller politischen Probleme, die Uns hart bedrängen,
legen Wir Ihnen die große produktive Frage
Unserer Staaten ans Herz: Die Indianerfrage! Wir
erbitten Ihre Vorschläge zu folgenden Punkten:
Erstens: Einsetzung eines Rates der Indianer.
Zweitens: Lösung des Schulproblems!

(er faltet das Blatt zusammen)

Ich erteile dem Doyen der Versammlung das
Wort.

Erzbischof Labatista

*(grobzügiger und zugleich feiner Kopf, wie man ihn
bei italienischen Geistlichen mittleren Ranges findet. Ein
hartnäckiger, von seiner Sache durchdrungener Mann)*

Wer kennt nicht das hohe Herz Seiner Majestät
des Kaisers, das sich hier in dem kostbaren Geschenk
an sein Museum offenbart?

Herzfeld
(leise hinter Maximilian)

Schurke!

Labatista

Nicht minder groß zeigt sich dieses Herz, wenn es
das wichtige Problem der Indianer aufrollt. Schulen!?
Wahrlich, auch ich sage: Schulen her! Denn im
Gegensatz zu Erzpriestern anderer Länder bin ich
modern und aufgeklärt. Aber, mein Gott, wer
anders als die Majestät hat denn die Errichtung
von Schulen (und nicht nur für die Indianer) ver-

52

hindert? Die Schulfrage ist eine Lehrerfrage. Wo nehmen wir Lehrer her? Nicht nur ein katholischer, selbst ein ketzerischer Fürst müßte antworten: Aus den Ordensstiften, aus der weltlichen Geistlichkeit, da es keine Laienseminare gibt . . . Aber die katholische Majestät selber hat das sogenannte Reformgesetz des Erzverbrechers Juarez bestätigt, das die Klöster aufhebt, das Kirchengut einzieht und den Klerus zum Bettler macht. Der hungernde Priester steht weinend abseits. Wie könnte er helfen!

Maximilian
Eure Eminenz malen mit sehr rührenden Farben. Ich kenne kein Land, in dem die Geistlichen Aberglauben und Unwissenheit eifriger nährten als Mexiko. Die Anbetung der Madonna von Guadelup gleicht ja dem heidnischen Astartedienst.

Labatista
Es gehört zum elastischen Wesen unserer wunderbaren Religion, daß die ewigen Heilswahrheiten sich dem Verstande anpassen, in dem sie sich spiegeln. Katholizismus ist keine Philosophie, sondern Leben.

Maximilian
Ich bin ein guter Katholik, Monsignore! Aber ich hätte mir denken können, daß Sie unversöhnlich meine Absichten konterkarrieren werden.

Labatista
Meine Person, die Eure Majestät innig verehrt,

53

steht nicht im Spiel. Die Partei der Kirche aber war es, die Ihnen, Sire, den Thron angeboten hat.

Maximilian
Beliebt ihrs, mir das vorzuhalten?

Labatista
Sie fühlt sich verlassen und verwirrt. Die erste Regierungshandlung Euer Majestät war eine Anerkennung des Kirchenschänders Juarez.

Maximilian
Ich bin kein Parteichef, sondern der Kaiser.

Labatista
Überall steht und fällt der Thron mit dem Altar.

Theodosio Lares
(eine nervös glatte Vermittlernatur ergreift das Wort)
Im Namen der Regierung und Nation danke ich Euer Majestät für Ihr historisch wertvolles Geschenk. Was die beiden zur Diskussion befohlenen Punkte anbetrifft, so beantrage ich eine Kommission zu bestimmen, die geeignete Vorschläge auszuarbeiten hat ...

Herzfeld
(leise)
Kommission!? Aha! Du schlauer Totengräber!

Lares
Ihr hoher Edelmut, Sire, bedenke aber! Die Indianer sind die unreifste Schicht unserer Bevölkerung. Als Vertreter der konservativen Ge-

sinnung muß ich vor übereilten Rechtsverleihungen warnen. Man soll nicht mit dem jakobinischen Feuer spielen. Beglücken europäische Souveräns die Klasse der Arbeiter freiwillig mit politischen Rechten? Wohin würde das führen?

Don Lacunza
(imitiert mit amerikanischer Übertreibung einen Staatsmann des Metternichstils)

Ich verkenne nicht die Wichtigkeit des aufgeworfenen Problems. Doch bitte ich Seine Majestät, dringendere Belange nicht zu vergessen. Da ist gleich das Statut des Guadelupordens. Es muß fester gezogen werden. Der Kaiser zeichnet gewisse Familien aus, an sich hochachtbare Patriziergeschlechter, ... aber jüngere Mitglieder dieser Familien sind der subversiven Gesinnung offen ergeben. Ich nenne die Familie Riva Palacio. Das erregt unter einem treuen Adel Malkontenz. Ferner wage ich submissest anzuregen, daß die Kommerzwelt inniger in den Kreis fürstlichen Wohlwollens gezogen werden möge. Geld will geehrt sein. Sonst wird es abtrünnig. Und wir leben in Amerika.

Lares

Im gegenwärtigen Augenblick würde ein Indianergesetz nicht vorteilhaft wirken. Wir Kreolen sind schließlich die somma gente des Landes und unsere eigenen Privilegien sind vor dem Indianer Juarez nicht sicher. Humanität? Ja! Aber später!

Lizentiat Siliceo
(ein ängstlicher Gelehrter)

Als maßvoll liberaler Mann begrüße ich einerseits die erhabenen Ideen seiner Majestät, andererseits kann ich meinen verehrten Vorrednern nicht Unrecht geben. Ich begrüße den Plan einer vorbereitenden Kommission ... Denn einerseits ...

Gelächter

Siliceo
Andererseits . . .

Labatista
Deine Rede sei „Einerseits-andererseits"! Setz Dich Lizentiat!

General Thomas Meja
(ein dumpfer, kindlicher Azteke von mittleren Jahren tritt vor)

Mein Kriegsherr! Ich, Eurer Majestät General Thomas Meja, bin Indianer. Das ist das Leid meines Lebens. Sehnsüchtig blicke ich nach dem höheren Menschen, dem weißhäutigen. Meine Brüder sind häßlich und niedrig. Ich verachte sie. Ihnen wird geholfen sein, wenn sie nicht mehr sind!

Maximilian
General! Spricht Ihr Bruder Juarez wie Sie?

Meja
Der Kaiser wird ihn gefangennehmen und töten!

Maximilian
Wäre es nicht besser, ihn zu versöhnen und zu überzeugen?

56

Stimme
Die demokratische Revolution muß in ihrem Blute
erstickt werden.
Andere Stimme
Dazu haben wir die Franzosen und einen Kaiser
geholt.
Maximilian
Gegensätze kann man nicht töten, sondern nur
befriedigen.
Lachen und unwillige Ausrufe
(von allen Seiten)

Maximilian
Meine Herren, Ihr Fanatismus hat nichts anderes
erreicht als einen fünfzigjährigen Bürgerkrieg. Ich
habe eine harte Stirn und werde ihn beenden.
Juarez scheint seine Sache verloren zu geben. Weg
mit allem Haß! Ich beschwöre Sie, helfen Sie mir!

*Man hört plötzlich weit entfernten langhinrollenden
Geschützdonner*

Meja
Kanonen!
Große Bewegung

Lares
Was hat das zu bedeuten?

Meja
Zehn Leguas Entfernung!

Stimme
Die Antwort des Bürgerpräsidenten!

Labatista
Der Marschall!

François Achille Bazaine
Marschall von Frankreich
(*ist in den leeren Mittelgrund getreten. Er trägt Dienstuniform, Reitstiefel, Reitgerte. Bazaine ist das sehr vergröberte Ebenbild Napoleons des Dritten. Der berühmte Schnurr- und Knebelbart ist schlecht gefärbt*)

Bazaine
(*mit einer Verbeugung gegen Maximilian*)
Sire! Ich bitte meine Unpünktlichkeit zu verzeihen. Dringende Berichte hielten mich ab . . .

Maximilian
Ich habe dem Marschall von Frankreich keine Vorschriften zu machen. Können Eure Exzellenz der Hohen Versammlung über dieses sonderbare Geschützfeuer Aufklärung geben? Wohl eine Feldübung französischer Artillerie?!

Bazaine
Unsere braven Truppen sind im Begriff, eine starke Bande juaristischer Guerillas gefangenzunehmen. Weiter nichts!

Maximilian
Vor wenigen Tagen, Herr Marschall, haben Sie mir versichert, daß der Feind aus all seinen Stellungen vertrieben sei. Und heute müssen Sie seine Banden, wie Sie es nennen, im Angesichte unserer Residenz mit Artillerie bekämpfen?

Bazaine
(mit hochmütigem Ton)
Ich werde durchgreifen! Bin bereit, Eurer Majestät
über alle Vorfallenheiten Rede zu stehn, aber nicht
an diesem Ort.

Maximilian
Ich bitte darum! ...
Hohe Versammlung! Die Sitzung des Staatsrats ist
aufgehoben.
(schnell durch die Tapetentür ab mit Gefolge. Nur

Herzfeld
*bleibt allein auf der Estrade und blickt wütend in
den Saal. Die Notablen haben ihre Plätze verlassen
und bewegen sich in aufgeregten Gruppen)*

Labatista
(nähert sich dem Marschall)
Ist es wahr, Herr Marschall? Sie beabsichtigen Ihr
Stadtpalais zu verkaufen?

Bazaine
Wer sagt das? Welch ein Unsinn!

Labatista
Mein Gott! Es könnte doch sein, daß Sie die
ganze Geschichte einmal sattkriegen.

Bazaine
Auf mich kommt es nicht an.

Labatista
Der Neid spricht aus mir, Marschall Bazaine! Ich

bewundere Ihr elegantes Haus Buena Vista. Gegebenenfalls denken Sie an mich!

Herzfeld

(droht in den lärmenden Saal)

Hunde!

Der Vorhang fällt

VIERTES BILD

IM KAISERLICHEN PALAST ZU MEXIKO

*Ein Audienzzimmer. Hohe Spiegel. Im Hintergrund
und rechts zwei große Türen. Links eine Portierentür.
Einrichtung im gemischten Geschmack des zweiten
Empires mit mexikanischen Motiven*

Maximilian, Bazaine und Kapitän der Zouaven, Eduard Pierron.

Bazaine
Dies ist Pierron! Mein junger Freund wird die
Verständigung zwischen Eurer Majestät und mir
erleichtern. Pierron ist kein banaler Truppier wie
unsereins. Meine nüchternen Eigenschaften werden
Sie an ihm nicht stören. Er ist Philosoph.

Maximilian
Kaiser Napoleon hat mir Ihre Person warm emp-
fohlen, Kapitain!

Pierron
*(ein häßlicher Generalstäbler, der den in jeder Armee
vertretenen sehr belesenen und markiert intellektuellen
Offizier vorstellt. Nichtzivilisten sehen ehrfürchtig er-
schaudernd in ihm einen »Denker«. Solange ihn die
dialektische Rage nicht erfaßt, ist er ein guter Kerl)*

Pierron

Eure Majestät! Ich melde gehorsamst den Antritt meines Dienstes.

Maximilian

Danke.

(er reicht ihm die Hand)

Meine Herren! Ich verschweige es Ihnen nicht. Ich bin tief bekümmert. Die prächtigen Truppen Kaiser Napoleons haben unter Ihrer Oberleitung, Marschall, Erfolg auf Erfolg erkämpft. Juarez mußte sich an die Grenze, vielleicht sogar über die Grenze zurückziehen. Die Entscheidung schien gefallen zu sein ... Und plötzlich beginnt die Gegenregierung mit ungeahnter Energie diesen Guerillakrieg, tollkühn ...

Bazaine

Ich habe Gegenmaßregeln ausgearbeitet.

Maximilian
(pointiert)

Daran zweifle ich nicht, Marschall Bazaine. Nicht nur mein Erfolg, sondern Ihr und Frankreichs Ruhm stehen auf dem Spiel.

Bazaine
(breit)

Allerdings wird man meine Maßregeln unterstützen müssen.

Maximilian

Sie können sich darüber wahrlich nicht beklagen. Ich opfere meine und meines Staates Interessen zu Gunsten Frankreichs immer wieder auf. Den letzten

Bissen Brot werfen wir Euch hin. Der Zoll und die Minen sind Euer, dabei bezahlen wir den Sold Eurer Mannschaften. Ich habe meine Bedürfnisse auf ein Fünftel reduzieren müssen, um die Finanzen zu entlasten. Denn der Marschall ist ein guter Feldherr aber ein schlechter Sparer.

Bazaine
Diesmal kommt es weniger auf Geld an.

Maximilian
Ihre Unternehmung steht im dritten Jahr. Die Opposition in Paris höhnt. Haben Sie Hugos Gedicht gegen den Kaiser gelesen? Böse genug. Man hat immer gesiegt und nichts erreicht. In dieser Lage senden Sie eine ganze Brigade nach Hause.

Bazaine
(dreist)
Das Urteil über reservate Befehle meines Herrn steht weder Eurer Majestät noch mir zu.

Maximilian
(ignoriert die Frechheit)
Ich verstehe den Kaiser nicht! Diese neue Attitude des Mißwollens? Und ich verstehe Sie nicht Bazaine! Sie lassen garnisonieren. Keine Aktion! Keine Verfolgung! Feindliche Zentren bilden sich bereits. Man weist Avancen nicht zurück.

Bazaine
Sire! Sie dürfen ruhig meiner Autorität vertrauen.

Mexiko ist dreimal so groß wie Frankreich. Die
Soldaten sind marschmarod.

Maximilian
Wir haben das gleiche Ziel.

Bazaine
Aber sehr ungleiche Rollen. Eure Majestät ziehen
die strahlende Milde vor und ich muß den bissigen
Hund spielen.

Maximilian
Sie sind Militär! Des Souveräns Tugend ist
Güte!

Bazaine
Nicht immer!

Maximilian
(mit scharfer Wendung)
Warum, Marschall Bazaine, hindern Sie mich auf
jede Weise eine nationale Armee aufzustellen?

Bazaine
Mein Herr hat mir die Aufgabe gesetzt, dieses
Land zu desarmieren. Ich kann nicht dulden, daß
unzuverlässige Flibustier, die sich „General" titu-
lieren, bewaffnete Massen sammeln. Diese Generäle stiften mit den vorhandenen Mannschaften
schon genügend Unfug.

Maximilian
Bewundern Sie mein ruhiges Blut! Marschall, Sie
sind der herrschsüchtigste Mensch, den ich kenne.

Bazaine

Das Grundmotiv meiner Handlungen ist die Sorge um Eure Majestät. Dies wird einst klar werden. Pierron! was haben wir heute nachts getan?

Pierron

Alle Möglichkeiten erwogen, die Eurer Majestät Thron endgültig befestigen können!

Bazaine

Das Resultat?

Pierron

Gipfelt in einem einzigen Wort: Energie! Energie! Energie!

Maximilian

Erklären Sie sich Kapitän!

Pierron

Eure Majestät allein haben bisher eine ungemeine Milde der Person und Revolution des Juarez angedeihen lassen. Gut! Die Wahlstimmen verliehen dem Mann einen Schein von Rechtmäßigkeit. Nun hat er aber sein Land verlassen.

Maximilian

Das ist nicht erwiesen.

Pierron

Nebensache! Wir erweisen es! Das Wichtigste! Seine Periode läuft ab! Der Augenblick der Initiative ist für Sie gekommen, Sire.

Maximilian

Initiative?

5

Pierron

Eure Majestät müssen jetzt den Feind zerschmettern,
indem Sie ihm den gebührenden Rang einräumen.

Bazaine

Bravo Pierron, Sie haben das Dekret doch mitgebracht.

Pierron
(zieht ein Blatt aus seiner Aktentasche)

Maximilian

Ich lehne dieses Dekret ab . . .

Bazaine

Sire! Sie kennen es ja nicht . . .

Maximilian

Aber ich fühle es in diesem Zimmer.

Bazaine

Pierron! Skizzieren Sie den Hauptartikel.

Pierron

„Jedermann, der als Feind der bestehenden Ordnung mit der Waffe in der Hand betreten wird,
verfällt auf Verfügung des nächstliegenden Truppen-
kommandos dem schmählichen Tode."

Maximilian
(ruhig)

Marschall Bazaine! Männer meines Ranges sind
die Beglücker oder Märtyrer ihrer Völker, nicht
ihre Mörder.

Bazaine

Sehr bequem, wenn sie das Morden Unsereinem überlassen.

Pierron

Ich habe mich, um Analogien zu finden, in die Geschichte des ersten Napoleon vertieft. Der Titan rät seinem Bruder Josef von Spanien, alle ertappten Malkontenten und Guerillas hängen zu lassen. Hätte König Josef diesen Rat befolgt, wäre Spanien niemals verloren gegangen.

Bazaine

(ganz eitel wegen der Wissenschaft seines Offiziers)

Ja, dieser Pierron!

Maximilian

Habe ich mich noch immer nicht verständlich gemacht. Ich bin kein Cäsar, kein Diktator, kein Usurpator! Ich will nicht mich, ich will nicht meine Macht. Ich bin aus uraltem, längst gesättigtem Geschlecht. Der legitime Herrscher ist der Stellvertreter der weltlichen Liebe Gottes. Guten Willens muß er sein.

Bazaine

Guter Wille, Sire, ist meist schlechte Politik.

Pierron

Und wie gedenken Eure Majestät sich zu fixieren?

Maximilian

(heftig)

Durch Mord? Ich? Durch Mord?! Ich soll Menschen töten, weil sie eine Gesinnung haben?!

Pierron

Für und wider Eure Majestät sterben viele im offenen Kampf.

Maximilian

Das ist etwas anderes!

Pierron

Tod bleibt Tod! Konsequenzen müssen zu Ende gedacht werden.

Maximilian
(fällt in ein Fauteuil)

Ja! Und das ist das Furchtbare.

Pierron

Es gibt für Eure Majestät zwei Möglichkeiten: Sich behaupten oder...

Maximilian
(erhebt sich starr)

Pierron

Das Ziel muß erreicht werden. Energie ist die einzige Moral, die dabei in Betracht kommt. Jede Schwäche ist doppelt inhuman, denn sie verzögert die Konsolidierung und verlängert das Blutvergießen ...

Maximilian
(plötzlich ausbrechend)

Man hat mich betrogen.

Pierron

Nicht der Mensch, die Situation diktiert. Das Dekret ist kein unsanfteres Kriegsmittel als Bomben und Granaten.

68

Bazaine
(geräuschvoll)

Das ist Logik, mein guter Pierron!

Pierron
(von seiner Dialektik fortgerissen)

Recht besehen ist dieser Erlaß ein Akt der Menschenliebe. Drei, vier scharfe Exempel werden statuiert. Das Gerücht verhundertfacht sie. Der Schreck demobilisiert den Feind. Der Widerstand wird zum Verbrechen degradiert. In drei Monaten haben wir Frieden.

Bazaine
(bäurisch)

Ich verpflichte mich!

Pierron

Sire! Würde Juarez an Ihrer Stelle nur einen Augenblick zögern?

Maximilian

Er ist er! . . .

(leise)

Darf ich nicht rein bleiben?

Bazaine

Unsere Truppen sind abgebraucht. Der Guerillakrieg ist die deprimierendste Form des Rencontres. Wir tragen alles! Für wen? Für Eure Majestät, die sich separiert. Das geht nicht weiter. Sie müssen mich unterstützen. Ich habe strikte Weisung aus Paris. Sie sind meinem Herrn und Kaiser verpflichtet, dieses Gesetz zu unterfertigen.

69

Maximilian
(scharf)

Ich bin allein meinem Gewissen verpflichtet. Ich
verzeihe Eurer Exzellenz die mangelnde Manier.
Kein Wort mehr von dieser Sache!

(er steht verabschiedend da)

Bazaine
*(läßt die Maske militärischer Grobheit fallen. Seine
Augen werden ganz mongolisch klein vor leidenschaft-
licher Tücke. Er geht suggestiv auf den Kaiser zu)*

Maximilian
*(weicht mit leicht-abwehrenden Händen zurück, um
die ihm notwendige Körperdistanz zu wahren)*

Bazaine
Ich verstehe Sire! Sie fordern Bedenkzeit für mein
Ultimatum. Bitte!

Pierron
Eure Majestät mögen sich an das Wort Virgils
halten. „Wenn ich den Himmel nicht rühre, will
ich den Acheron erschüttern"... Es gilt den End-
erfolg!

(er legt das Dekret auf einen Tisch)

Beide Franzosen
(rechts ab)

Herzfeld
*(vom Sekretär Don Blasio gewiesen, tritt durch die
Mitteltür ein)*

Maximilian
(packt ihn)

Da lies!

(er gibt ihm das Blatt)

Herzfeld
(schweigt, nachdem er gelesen hat)

Maximilian
(fast schreiend)

Was, Herzfeld, soll geschehn?!

Herzfeld

Niemand prüft die Waffen der Notwehr.

Maximilian
(krampfhaft)

Dezision Herzfeld!

Charlotte
*(ist plötzlich durch die Vorhangstür links eingetreten.
Sie trägt den dreijährigen Knaben Augustin Iturbide auf dem Arm. Mit starrem Ernst tritt sie auf
Maximilian zu)*

Hier, Kaiser, bringe ich Dir Deinen Kronprinzen.

Maximilian
*(nimmt, tief betroffen, das widerstrebende Kind aus
dem Arm der Frau)*

Du?! Du bringst mir dieses Kind?!
(er stellt das Kind auf die Erde)

Charlotte . . .
(er nimmt die Hand des Knaben)

Du gehörst jetzt zu uns. Könntest Du doch Orakel
Deiner Zukunft sein.

Don Blasio
(kommt eilig erregt)
Eure Majestät! Diesen großen Brief finde ich in
meinem Zimmer. Niemand weiß, wer ihn ab-
gegeben hat.

Maximilian
*(wartet bis Blasio aus dem Zimmer ist, dann über-
fliegt er das Couvert)*
„An Maximilian Habsburg" ... „Vom Hauptquartier
des Bürgerpräsidenten" Gott! Gott!.. „Paso del
Norte" Gott, Gott!
(als Stoßgebet)

Jetzt die Erlösung! Jetzt die Hilfe! Jetzt das Glück!
(er zerreißt den Umschlag)
Mein Bild!
(Pause)
Das ist stark ...
*(Nach fünf gespannten Sekunden wirft er das Bild
fort und packt das Dekret)*
Carlota hilf mir, groß sein!

Charlotte
(sehr ruhig)
Groß bist Du aus Dir selbst. Kommen Sie Herzfeld! Der Kaiser will allein bleiben!

Charlotte, Kind, Herzfeld
(links ab)

Maximilian

(*mit dem sinnlosen Ausdruck eines Menschen, dem etwas Unerträglich-Peinliches zugestoßen ist*)

Das ist stark . . .

(*er verzerrt sich, seine Finger zucken schon, das Dekret zu zerreißen. Plötzlich aber nimmt er eine absichtlich entspannte Haltung an, geht leichten Schrittes zum Tisch, legt das Blatt hin und läutet*)

Don Blasio
(*tritt ein*)

Maximilian
(*gleichgültig abgewandt*)

Noch etwas zu erledigen? Menschen?

Blasio

Nichts, Eure Majestät.

Maximilian

Dann danke ich Ihnen, Freund, für heute! Halt! Daß ich es nicht vergesse! Das Blatt hier kommt auf meinen Schreibtisch!

(*er dreht sich um und blickt mit starrem Aug dem Sekretär nach, der sich höfisch rückwärts retiriert*)

Der Vorhang fällt

Ende der ersten Phase

ZWEITE PHASE

FÜNFTES BILD

IM KAISERLICHEN PALAST ZU MEXIKO

Ein Durchgangssaal

Bazaine und Pierron

Pierron
Sprechen wir etwas leiser!

Bazaine
Unbesorgt, Pierron! Die Leute haben nicht Geld
genug, horchende Wände zu honorieren.

Pierron
Noch niemals habe ich solches Unbehagen vor
einer Unterredung gefühlt wie heute. Nervöses
Herzklopfen plagt mich.

Bazaine
Das ist die Jugend, die schöne Jugend in Ihnen!

Pierron
Schließlich ist die Idee des Dekrets aus meinem
Hirn gesprungen. Ich spüre Verantwortung...

Bazaine
Die Idee war gut.

Pierron

Aber für einen Bonaparte berechnet, nicht für
Maximilian. Man soll den Charakter eines Menschen nicht beugen . . .

Bazaine

Zumal wenn er keinen hat!

Pierron

Maximilian ist eine zarte Lichterscheinung. Er kann
den Haß nicht ertragen, der ein Genie zur lodern-
den Fackel macht. Solche Naturen gedeihen nur im
Wohlwollen. Das Dekret, die Hinrichtungen, haben
seinen Namen in ein Dunkel gestürzt, das nicht
sein Wesen ist. Wir tragen Schuld.

Bazaine

Das sehe ich nicht ein.

Pierron

Was ist der Effekt? Einige goldstrotzende Wilde,
will sagen mexikanische Generäle, haben ihre
viehische Rachsucht befriedigt. Das Dekret aber
war als Werkzeug unserer Pazifikation geplant.
Ein rascher Feldzug konzentrisch nach den Grenzen!
Nichts davon ist geschehen.

Bazaine

Befehl unseres Herrn! Nordamerika, die Demokratie, droht ihm. Er lebt von Schlafmitteln. Juarez
laviert unerträglich gut. Diese Flucht war ein ver-
trackt-gerissenes Manöver!

78

Pierron

Europa sollte diesen Staatsmann engagieren. Er hat die einzige Herrscherschule der Welt absolviert, die der Jesuiten!

Bazaine

Jetzt ist die Schweinerei fertig! Vor zwei Jahren hätte ich Ordnung gemacht, bevor dieser sehr hochtrabende Erzherzog mich noch stören konnte. Aber man hat mir drei Idioten im Kommando vorgezogen. Schweinerei!

Pierron

Und jetzt sollen wir diesem armen Maximilian beibringen, daß Frankreich die Unternehmung liquidieren muß, den Vertragsbruch also!? Er tut mir so leid!

Bazaine

Man ist enttäuscht. Die Sache wirft nichts ab. Der Mann kapiert nie, worauf es ankommt. Nun! Auch mir tut er leid!

Pierron

Exzellenz! Ich bitte gehorsamst um Verzeihung, das entspricht nicht ganz der Wahrheit.

Bazaine

Ein philosophischer Durchschauer bist Du, Pierron, ein Teufelsphilosoph!

Pierron

Der Marschall ist ein guter Mensch, scharf im Dienst, aber ein gütiger Mensch!

Bazaine

Ach ja! Aber die Welt weiß es nicht . . .

Pierron

Sie wird es wissen!

Bazaine
(*gerührt*)

Glaubst Du? Ich bin wirklich ein guter Mensch, oft tue ich mir leid deshalb.

Pierron

Nicht der Rang Maximilians stört Sie. Sie unterwerfen sich leidenschaftlich Napoleon, unserem Souverän . . .

Bazaine

Ich lasse mich kreuzigen für ihn. Er hat etwas im Verkehr mit mir . . . etwas, . . .

Pierron

Nennen wir es: Gewinnende Verlegenheit!

Bazaine

Dein ist das Wort, Pierron! Dieser Maximilian aber steigt immer frischgewaschen vom Himmel herab. Hoch oben wohnt er und wo bin ich!? Daran ändert seine Süßigkeit nichts . . . Es ärgert mich!

Pierron
(*sehr ernst*)

Exzellenz! Vergessen Sie heute diese Gereiztheit! Und denken Sie: Er ist ein Mensch, der Unglück hat.

Bazaine

Er wird meine Güte kennenlernen. Aber, Pierron,
ich kann mir nicht helfen ...

(er stockt)

Nein! Ich will nicht sagen, daß mich seine Bla-
mage befriedigt ...

Herzfeld und Don Blasio
(treten ein. Herzfeld grüßt steif)

Blasio

Der Weg zu den Majestäten steht frei.

Bazaine und Pierron
(hinter Blasio ab)

Dr. Basch
(tritt schnell von der anderen Seite ein)

Herzfeld

Nun, Doktor! Haben Sie die Zeitungen gelesen?

Basch

Verstehen Sie das? Die „Monarquia" beschimpft
den Kaiser, das Monarchistenblatt ...?

Herzfeld

Wir wollten über den Parteien stehen und haben
uns zwischen sie gesetzt.

Basch

Diese Hinrichtungen sind verbrecherischer Wahn-
witz!

Herzfeld

Der arme Kaiser! Was kann er tun? Die konservativen Generäle haben das Dekret. Die Blutrache ist frei. Ich könnte mich erwürgen, daß ich die Intrigue der Franzosen nicht durchschaut habe.

Basch

Intrigue?

Herzfeld

Bazaine mußte den Kaiser kompromittieren, um seinen Rückzug moralisch zu decken. Dies ist das Dekret. Er hat die Zielscheibe allgemeinen Unwillens errichtet. Alles, alles fällt nun dem Kaiser zur Last.

Basch

Fest steht: die Schuld!

Herzfeld

Die Schuld beginnt schon mit der Kronannahme unter falschen Voraussetzungen . . .

Basch

Eine echt österreichische Schuld!

Herzfeld

Was nennen Sie so?

Basch

Verzweifelten Optimismus ins Ungewisse und Flucht vor unangenehmen Erkenntnissen!

Herzfeld

Es gibt noch eine andere Art Österreicher: Den Fanatiker unangenehmer Erkenntnisse, mich! Und doch habe ich das Dekret passieren lassen! Entsetzlich! Die Verräter rühren sich. Labatista macht eine Episcopalreise in juaristisches Gebiet.

Basch
Am meisten beängstigt mich das Riesenmeeting von New York. Dreißigtausend Yankees erklären sich für Juarez.

Herzfeld
Wo ist dieses Gorgohaupt, dessen Schlangen-Götteraugen uns in diesem Augenblick zu beobachten scheinen?

Basch
In einem Dorf, an der Grenze, im Albtraum Napoleons, in der Freundschaft Garibaldis und in der Feder Etiennes von der Neuen Freien Presse. Gott weiß wo noch!

Herzfeld
Der Kaiser sieht erbärmlich aus.

Basch
Er hat in den Monaten seit dem Erlaß zwanzig Pfund verloren. Er leidet wie ein Mann, der ein somnambules Verbrechen beging. Man muß ihm alle Erschütterungen aus dem Weg räumen.

Herzfeld
Das tue ich. Vorhin habe ich aus den Postkörben die anonymen Briefe gesammelt. Ich bin schon eine Wünschelrute, denn ich erkenne sie am Couvert. Fünfzig waren es.

6*

Basch

Ein Glück, daß die Kaiserin merkwürdig ruhig bleibt.

Herzfeld

Sie ist ganz vernarrt in das Kind Iturbide.

Basch

Glauben Sie das wirklich?

Herzfeld

Doktor Basch! Sehen wir uns in die Augen! Was geschehen muß, muß geschehen!

Basch

Und so bald wie nur möglich!

Herzfeld

Ihre Hand! Die Verschwörung gilt! Wir, seine einzigen Freunde, müssen Maximilian in Sicherheit bringen.

Basch

Ich sehe nur einen Weg!

Herzfeld

Doktor! Sie sind zwar älter als ich. Aber ich biete Ihnen das Du an!

Basch

Ja! So sei es, mein lieber Freund!

(*Sie schütteln einander die Hand*)

Oberst Lopez
(*erscheint in der Tür*)

Herzfeld
(leise zu Basch)

Der Anblick dieses Menschen juckt mich wie ein Ausschlag. Mir ist so, als müßte ich lachen, ohne es zu wollen.

Lopez
(nähert sich sehr beflissen)

Meine Herren! Ich weiß nicht, was vorgegangen ist. Aber die Audienz des Marschalls war äußerst kurz. Die Majestäten sind heute sehr sensibel.

Herzfeld
(zu Basch)

Nun denn, Basch! Viribus unitis!

Lopez

Was sagen Sie, meine Hochverehrten? Ach, Sie können sich in die arm-unruhige Seele Mexikos nicht hineindenken.

Don Blasio
(erscheint)

Es wäre gut, diesen Raum freizugeben. Die Majestäten kommen.

Alle
(ab)

Maximilian und Charlotte
(treten ein)

(Der Kaiser ist sehr verfallen, die Kaiserin trägt tiefe Trauer um ihren Vater, Leopold von Belgien. Sie

macht einen finster-flackernden Eindruck. Ihre Finger
umklammern einen schwarzen Fächer)

Charlotte
Du begleitest mich?

Maximilian
(sperrt die Ausgänge ab)
Ich will nicht allein bleiben. Gar nicht wohl fühle
ich mich. Kalt ist es hier.

Charlotte
Und ich fühle mich heiß. Höllenheiß! Es war auch
die Hölle. Denn was ist sie anderes als eine Sack-
gasse ohne Ausweg!?

Maximilian
Sie haben sich dechiffriert.

Charlotte
Ach, Bazaine! Bazaine ist nur eine Spiegelung.
Aber dahinter habe ich ihn gesehen, den deliziö-
sen Vater der Lüge. Du nicht? Von der Tapete
hat er herabgelächelt, verbindlich huldvoll ...

Maximilian
Napoleon!

Charlotte
Erkenn ihn! Juarez ist nur Dein Feind. Er aber
Dein Antiprinzip! Er will das Reine abschaffen,
damit man ihn adoriere! Er hat Dich nur er-
hoben, um Dich fallen zu lassen. Du mußt ruiniert
sein, damit er leben kann, der aimable Menschen-
verderber ...

Maximilian

Carlota! Es ist menschliche Unart, alle verant-
wortlich zu machen, nur nicht sich selbst.

Charlotte

Was willst Du? Er schwebt in der Luft! Wir
wollen räuchern!

Maximilian

Napoleon ist wie Bazaine, wie alle ein gieriger
Feigling und Egoist. Ich tauge nicht für seine
schmutzigen Geschäfte. Juarez beeinflußt die
Union, sie hebt den Arm, Napoleon duckt sich
und kündigt mir die Intervention. Mein leiblicher
Bruder handelt nicht anders und befiehlt das
Schiff mit den neuen Freiwilligen zurück.

Charlotte

Max! Und wenn Du Dich von ihnen, von Europa
befreist.

Maximilian

Ach!! Wäre ich noch ich! In drei Monaten stünde
eine nationale Armee da! . . . Aber fühle meine
Hände an!

Charlotte

Kalt! Wie kalt!
(*sie zieht ihn zu einem Fauteuil und bleibt hinter ihm
stehen*)

Maximilian

Seitdem das Furchtbare geschehen ist . . .

Charlotte
(*von ihrer fixen Idee gepackt*)

Da siehst Dus! Er hat es Dir eingeblasen durch Bazaine und Pierron.

Maximilian
(*gepreßt, stoßweise*)

Ich ... ich ... ich habe das Dekret unterschrieben.
(*Pause*)
Mit dem Schwebegefühl eines Engels bin ich in dieses Land gekommen. Und dann gebe ich ... ich .. ich .. das Zeichen zum gräßlichen Massacre!
(*Pause*)
Kam das aus mir? Aus mir? Seitdem bin ich so müde. Die Natur ist tot. Ich lebe nicht mehr ...

Charlotte

Max! Diese Reue ist mauvais genre, wehleidig! Alle töten. Gott tötet. Wir müssen standhalten. Es ist Dein Kaiserrecht!

Maximilian
(*qualvoll*)

Nein! Ich, ich allein durfte es nicht!
(*sehr leise*)
Karla! Ich bin gescheitert. Werfen wir es hin.

Charlotte
(*fährt auf*)

Und er soll siegen?

Maximilian

Ich habe meine Idee verraten. Ich bin ein Lauer!
Gottes Mund speit mich aus.

Charlotte

Ideen?! Männerdummheiten. Ich bin eine Frau, ich
liebe Dich, den Menschen!

Maximilian

Ich bin nicht mehr zu retten.

Charlotte

Jetzt, wenn Du so redest, entschwindest Du mir,
bist klein, bist niedrig! Wegwerfen die Souveräni-
tät, die goldene Luft der Gipfel? Du willst noch
leben, wenn man uns nicht mehr „Majestät" sagt?
Ich nicht! Kann ein Sonnenstrahl abdizieren?

Maximilian

Er kann erlöschen.

Charlotte

Erlisch und sei wieder Untertan Deines Bruders!

Maximilian
(springt auf)

Nein!

Charlotte

Sieh mich an! Ich werde Dich retten!

Maximilian

Du?!

Charlotte

Wir brauchen Frankreich, wir brauchen Europa.

Gut! Wer vertritt dort unsere Sache? Ordensjäger und Intriganten.

Maximilian

Das sind sie!

Charlotte

Ich gehe für Dich nach Europa! Ich! Und mit dem nächsten Schiff.

Maximilian

Was sagst Du?

Charlotte
(mit steigender Begeisterung)

Ich, die Kaiserin, mit meinem Gefolge! Ich will Dein Licht in der Hand tragen. Aufsuchen werde ich ihn, den Erzbösen, in seiner Hölle. Mir widersteht er nicht. Mein armer Vater ist jetzt tot. Aber mein Bruder herrscht in Brüssel. Ich kehre mit einem Korps zurück. In den Vatikan dringe ich ein. Diesen Pio Nono, der aus dem Mund riecht wie ein alter Landpfarrer, besiege ich. Ich hole Dir trotz allen Labatistas das Konkordat. Als Bettlerin mit nackten Füßen und als donnernde Gerechtigkeit stehe ich vor jeder Tür. Für Dich! Deinem Bruder schreie ich die Wahrheit ins Gesicht: In ihm und in toten Landen geht Habsburg unter. In Dir und in Amerika geht Habsburg auf. Und das Schwerste: Zu Deiner Mutter, der bösen Betschwester, die mich haßt, gehe ich hin und sage: Siehe, Weib, dies ist Dein Sohn!

Maximilian

Du, Charlotte, in Europa!

90

Charlotte
(tief)
Du mein Licht! So büße ich mein Ungenügen, wie ich in Deinem Namen das fremde Kind liebe.

Maximilian
Dich, den einzigen, den stärksten Menschen, den ich habe, soll ich ziehen lassen?! Dich soll ich aufopfern, in Gefahr, Erniedrigung, Krieg schicken!? Deinen armen geliebten Körper, Deine wehen Nerven ausliefern!?

Charlotte
Sie sind erprobt, meine Nerven. Sie spüren die Hölle der Menschenaugen! Max! Schlag mirs nicht ab!

Maximilian
Ohne Suite ist diese Reise unmöglich. Und es fehlt Geld!

Charlotte
Auch das ist überlegt. Ich greife die Wohltätigkeitssummen an, die ich übernommen habe. Zwei Millionen Pesos beträgt allein der Überschwemmungsfonds.

Maximilian
Aber Charlotte! Das ... das ist ja Verbrechen!

Charlotte
Verbrechen!? Männerdummheiten! Verbrechen, wenn ich den Hals des Teufels würgen kann, damit Du, damit Du triumphierst!

Der Vorhang fällt

SECHSTES BILD

KOMMANDANTUR DER REPUBLIKA-
NISCHEN OSTARMEE ZU TLAPA

Ein nacktes Zimmer mit offener Balkontür im Hinter-
grund. Ein Feldbett, ein Tisch mit Schriften, ein
Stuhl. Draußen auf der unsichtbaren Straße starke
Bewegung; Marschlärm, Musik, Ovationen

General Porfirio Diaz und General Riva
Palacio.

Riva Palacio
Ist es wahr, Porfirio, daß Du niemals krank gewesen bist?

Porfirio Diaz
Es ist nicht so arg, die Masern habe ich gehabt.
Aber Wunden tun mir wirklich nicht viel. Wenn
ich eine Kugel im Leibe hatte, bin ich nicht oft
hingefallen. Pfui! Jetzt prahle ich wieder mit meiner
unfeinen Körpernatur.

Riva Palacio
Porfirio Diaz ist niemals krank gewesen und
Benito Juarez hat nie einen Traum geträumt.

92

Porfirio Diaz
Ja! Er gibt sein Wort darauf.

Riva Palacio
Der Geschichtsschreiber wird es festhalten müssen.
Juarez war die traumlose Vernunft, Diaz die zauber-
hafte Jugend Mexikos.

Porfirio Diaz
Ich weiß nicht, warum ihr mich alle so jung haben
wollt! Ich bin um zwei Jahre älter als Maximilian.

Riva Palacio
Das Volk sieht nicht die Tatsache eines Menschen,
sondern sein Geheimnis. Dein Geheimnis: Mit
siebzig Jahren wirst Du zwanzigjährig sein.

Porfirio Diaz
Weiß Gott, ich würde sterben vor Traurigkeit,
wenn ich einmal keinen Baum mehr erklettern
könnte.

Riva Palacio
Ich erinnere mich noch des Stichtages von Chihuahua.
Acht Mann meldetest Du dem Bürgerpräsidenten
als Ostarmee! Noch ist kein Jahr vergangen. Du
hast zwanzigtausend Mann armiert. Dir sind un-
sinnige Affairen gelungen, Siege über Bazaine,
Trujeque, Ganz, über lauter Kriegsschulkapazitäten.
Dabei bist Du Jurist und verstehst von den Feinheiten der Strategie so viel wie vom Sonetten-
dichten.

Porfirio Diaz
Kriegswissenschaft? Eine Eitelkeit für Schwachköpfe!
Die Dinge des Lebens ergeben sich so leicht, wenn
man über sie nicht nachdenkt!

Riva Palacio
Ja, das Unmilitärische ist Dein Zauber. Alles um
Dich ist Abenteuer. Die Jungen rennen Dir nach
wie dem Helden eines Knabenromans.

Porfirio Diaz
Das ist wahr! Ich könnte zehn Armeekorps von
Schulbuben aufstellen ... O dieser Maximilian!
Er beginnt ein Abenteuer ohne Abenteuerlust aber
mit Ideen!

Riva Palacio
Eitelkeitsmasken! Er läßt sich vom Geldpack ins
Land locken, entwickelt soziale Heilandsprogramme
und beschäftigt die Henker.

Porfirio Diaz
Für jeden Idealisten kommt die Stunde, wo er zum
Mörder werden kann oder wird ... Und doch!
Ich beneide ihn.
(*Er geht während dieses Gespräches öfters zur Balkon-
tür und späht verstohlen hinaus*)

Riva Palacio
Beneiden?

Porfirio Diaz
Kannst Du Dir den Rausch vorstellen, Feind eines
Juarez zu sein? Ich wünsche mich manchmal an

Maximilians Stelle. Er versteht seine eigene Kühnheit nicht. Gleichwohl! Ich achte sie.

Riva Palacio
Die Franzosen verlassen ihn!

Porfirio Diaz
Ich an seiner Stelle hätte die Schmutzfinken längst davongejagt und würde fair play mit uns fertig geworden sein . . . ohne Bluterlaß!!

Rufe
(draußen)
Es lebe Porfirio Diaz!

Porfirio Diaz
Das ist ein Feuer, auf dem man schnell kochen muß. Leute haben wir genug. Aber mit Waffen, Munition und Geld sieht's lumpig aus. Ich zahle dem Mann nur zehn Centavos. Der Offizier erhält sich selbst. Unter solchen Umständen kann uns ein Rückschlag vernichten. Aber Du kennst mich. Ich liebe die sichere Rechnung nicht.
(er blickt hinaus)
Holla! Also doch!

Riva Palacio
Was gibt es?

Lärm
(draußen)

Porfirio Diaz
Alle Achtung!

Riva Palacio

Was! Labatista?! Und er wagt es. Gnade genug,
daß Du ihn nicht verhaften ließest.

Porfirio Diaz

Ich habe eine Schwäche für jeden Mut, selbst für
den der Frechheit. Monsignore unternimmt eine
Firmelreise in partes infidelium. Die Popularität
eines Märtyrers, den man nach zwei Tagen freilassen muß, käme ihm nicht ungelegen . . .

Riva Palacio
(an der Balkontür)

Kein Pfuiruf mehr. Viele knieen und er segnet die
Menge . . . So viel sind alle Revolutionen wert!

Porfirio Diaz

Ja, wenn man ein Esel ist und das Leben nicht
kapiert.

Riva Palacio

Deine Augen blitzen, Porfirio!

Porfirio Diaz

Ich bin ein unverbesserlicher Raufbold.

Riva Palacio

Leb wohl!

(ab)

Erzbischof Labatista zwischen zwei Kaplänen
(tritt ein. Er trägt eine schwarze Soutane)

Labatista
Jetzt, Freunde, laßt mich mit diesem jungen Helden
allein.

Kapläne
(*ab*)

Labatista
(*nach einer großen Pause mit ausgesuchter Höflichkeit*)
Sie werden mir einen Sitz anbieten, mein General!

Porfirio Diaz
(*ebenso höflich*)
Wie Sie sehen, Bürger Monsignore, ist mein republi-
kanischer Salon recht primitiv. Auf diesem Feldbett pflegen meine Besucher zu sitzen. Darf ich
bitten?

Labatista
(*sich niederlassend*)
Ich bin nicht sehr verwöhnt, teurer Porfirio Diaz!
Die Hirtenpflicht befahl mir diese beschwerliche
Reise in meine vom Krieg zerrütteten Diözesen.
Ich habe arge Strapazen erlebt.

Porfirio Diaz
Und sind noch ärgeren Gefahren entronnen, Bürger
Pelagio Labatista!

Labatista
Das Reglement des Priesters und des Soldaten
kennt den Begriff der Furcht nicht. Verzeihen Sie
den Vergleich!

Porfirio Diaz
Ich nehme ihn auf. Was wäre mit mir geschehen,

7

wenn ich mich beim Platzkommando der kaiserlichen Hauptstadt Mexiko gezeigt hätte?

Labatista
Sie wären erschossen worden, General!

Porfirio Diaz
Irrtum, mein Herr! Man hätte mich als Spion auf-
geknüpft.

Labatista
(*mit unerschütterlicher Ruhe*)
Das würde ein großes Unglück für Mexiko sein.

Porfirio Diaz
Ich will also zu Ihren Gunsten, Bürger Erzbischof,
annehmen, daß der Vergleich hinkt.

Labatista
Die Institution, die ich vertrete, wird von den
Interessen des Krieges nicht berührt. Ich und mein
Klerus haben für ihre Herden zu sorgen. So habe
ich im vollen Bewußtsein der Gefahr diese Reise
angetreten . . . Die Kirche ist neutral.

Porfirio Diaz
Ei, ein neuartiges, ein überraschendes Pronun-
ciamento! Sie sind doch derselbe Erzbischof Labatista, der vor zwei Jahren die hochverräterische
Regentschaft leitete?

Labatista
(*mit geschickter Parade*)
Ich habe mich der Vorsehung niemals entzogen.

Porfirio Diaz
Ei, diese Vorsehung hat Komplizen. Wer denn
98

rief gegen die rechtmäßige Regierung des Landes einen sogenannten Kaiser übers Meer?

Labatista
Ich will gerne zugeben, daß Maximilian, wie es in der Theatersprache heißt, eine Fehlbesetzung ist.

Porfirio Diaz
Und wenn er das nicht wäre?

Labatista
Hätte ich gewiß nicht die Ehre, mich mit Ihnen zu unterhalten, General!

Porfirio Diaz
(mit heiterer Ruhe)
Ich habe es ja immer gesagt. Nicht wegen der Monarchen muß man die Monarchie abschaffen, sondern wegen der Monarchisten.

Labatista
(mit der geduldigen Nachsicht eines guten Lehrers)
Ich betone noch einmal, mein Herr, ich bin Repräsentant einer souveränen Macht, die nach freiem Gutdünken Koalitionen schließt.

Porfirio Diaz
Verstehe! Maximilian hat den unbegreiflichen Fehler begangen, die Größe von Señor Juarez zu erkennen und sein Kirchengesetz zu bestätigen, das Ihre Einkünfte empfindlich beschneidet.

Labatista
(sehr ernst)
Mit diesen geringen Einkünften, mein junger Krieger, erweisen wir unermeßliche Wohltaten. Glaubt Ihr

7*

Herren wirklich mit demokratischen Zeitungsartikeln
die Seele des einfältigen Volkes erfüllen zu können?
Vorhin durfte ich durch die Gnade des Papstes
der freisinnigen Menge den apostolischen Segen
erteilen. Es war ein schöner Augenblick, als der
religiöse Herzschlag die dünne Kruste moderner
Allerweltsphrase durchbrach. Ach, die armen, armen
Menschen Eurer Etappe! Ihr könnt sie nicht kleiden,
nicht nähren. Sie sind gar zu oft ein Bild des
Erbarmens.

Porfirio Diaz
Trotzdem verstehen sie zu siegen.

Labatista
Worüber ich, kühner Diaz, Ihnen mein tiefes
Kompliment mache. Aber noch sind die Franzosen
nicht abtransportiert und die Armee Maximilians
wächst stündlich.

Porfirio Diaz
Bringen Sie nicht mehr als diese Nachricht?

Labatista
Ich bringe mein loyales Recht als Vorstand der
Kirche: Das Desinteressement an der Staatsform,
die siegreich aus diesen Kämpfen hervorgehen mag.

Porfirio Diaz
Und die Bedingungen dieser Neutralität?

Labatista
Mein Gott! Wie jugendlich Sie noch politisieren,
mein Freund!

Porfirio Diaz

Politik!? Haßbrunst des Massenwesens! Immer der Stier im letzten Akt des Kampfes! Wer Torero bleiben will, muß sich vorsehen!

Labatista

(als ob er lässig improvisiere)

Nun! Wir können einen gegenseitigen Garantievertrag abschließen, darnach der Sieger Leben und Eigentum des Besiegten schont!

Porfirio Diaz

Gut! Und Maximilian?

Labatista

Über die Person des Kaisers werden wir mit Ihnen ein Arrangement treffen.

Porfirio Diaz

Das bedeutet?

Labatista

Größere Klarheit ist im Augenblick überflüssig.

Porfirio Diaz

Sprechen Sie als Chef der konservativen Partei?

Labatista

Ich bin der Erzbischof von Mexiko!

Porfirio Diaz

(erhebt sich)

Nun wohl, Herr Erzbischof von Mexiko! Sie bieten uns Person und Sache Maximilians an. Ich habe Ihnen zwei Antworten zu geben. Die eine: Wir verachten und verwerfen Ihr Anerbieten. Wir werden unseren Triumph niemals beschmutzen. Ich würde

101

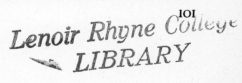

keinen Krieg führen, der nicht ein moralischer Kreuzzug wäre. Dies die einzige Rechtfertigung der Gewalt auf Erden! Ich kämpfe nicht gegen Maximilian, der ein Opfer seiner Geburt und Eurer Schurkerei ist. Ich kämpfe gegen das Geschlecht von Geldherzen, Strebern, Hurenbolden, Eisenfressern, Völlerern, Sklavenhältern, Nachtgespenstern, die diesen Thron zum Schutz ihres Lasters errichtet haben! Sie alle werde ich vernichten, ausrotten bis zum letzten Mann! Keine Gnade für sie!
Und die andere Antwort, Pelagio Labatista, wäre der Profoß mit Handschellen!

Labatista
(*mit lächelnder Anteilnahme*)

Prächtig deklamiert, Bürger General! Sie sind noch immer mehr Toro als Toreador! Ich bitte, sprechen Sie ruhig den Haftbefehl gegen mich aus.

Porfirio Diaz
Im Gegenteil, Monsignore!
(*er schlägt dreimal auf den Tisch*)

Ordonnanzoffizier
(*tritt ein*)

Porfirio Diaz
Der Reisewagen des Erzbischofs! Zwanzig Mann Kavalleriebedeckung! Sie haften dafür, daß die Eskorte ungekränkt binnen vierundzwanzig Stunden das feindliche Gebiet erreicht.

Der Vorhang fällt

SIEBENTES BILD

IM KAISERLICHEN PALAIS ZU ORIZABA

Arbeitszimmer. Links zwei hohe Fenster. Rechts und im Hintergrunde Türen. In der Mitte ein langer Tisch mit Büchern, Atlanten, einem Mikroskop

Maximilian und Dr. Basch
(treten ein, der Kaiser in touristischer Kleidung, Dr. Basch trägt eine große Botanisiertrommel, die er auf den Tisch legt)

Maximilian
(nimmt die Trommel, geht zum offenen Fenster und öffnet sie. Große müde Falter umtaumeln ihn und fliehen dann)

Fort sind sie! ... Individuen! ... Ein Schmetterling stieß mir jetzt ins Gesicht. Warum erschrecken wir vor dem fremden Individuum? Ein Grauen geht vom andern Leben aus, von jedem! ... Sind Sie böse, Doktor?

Basch
Der gute Bilimek ist der Schmetterlingssammler, nicht ich!

Maximilian

Sie, als echter Prager, sind Alchimist geworden.

Basch

Ich jage einer pharmazeutischen Idee nach, die mich schon im Piaristen-Gymnasium nicht in Ruhe ließ.

Maximilian

Darf man teilnehmen?

Basch

Eine Chimäre, Eure Majestät! Ich suche ein Mittel zu mischen, das den Todeskampf besiegt und den Schmerz des menschlichen Sterbens aufhebt, ohne nur zu betäuben ...

Maximilian

Blasphemische Idee! Auch die Geburtswehen darf man nicht wegnarkotisieren, sonst mißlingt die Niederkunft. Es ist dasselbe! Wie oft weiß ich jetzt: Der Tod ist ein keimendes Wesen in uns: Leibesfrucht, Seelenfrucht! Man muß ihn tief innen hegen ...

Ach, meine arme Frau! Ist der Doktor Riedel ein guter Psychiater?

Basch

Er ist der modernste Mann, den wir in Österreich haben!

Maximilian

Und halten Sie das Leiden der Kaiserin für unheilbar?

Basch

Gewiß nicht, Majestät!

Maximilian

Verfolgungswahn? Ich sage Ihnen, die Briefe Charlottens sind höchst vernünftig. Sie haben eine zerschmetternde Logik, vor der unser gesunder Verstand zur Denkfeigheit zerschmilzt.

Basch

Ich behaupte: Der Anblick Eurer Majestät, wenn Sie in Miramar erscheinen, wird die Kaiserin auf der Stelle heilen. Diese Krankheit ist nichts als ein Desastre der Nerven. Ihre Majestät hat Wochen und Monate unsäglicher Erregungen überstanden: Das Refus Napoleons, der abgelehnte Empfang bei ihrem Bruder, die Kälte Wiens, die Unerbittlichkeit des Papstes! Bei diesen furchtbaren Emotionen, welche Forderung an Denkarbeit und geistige Kraft!

Maximilian

Schweigen Sie! Und alles für mich! Ich habe eine Heilige hingeopfert, ich habe diese entsetzliche Reise geschehen lassen. Oh das ist das Schwerste! Ich Elender! Basch! Worin habe ich mich gegen das Leben vergangen, daß es all mein Tun in Entsetzen verkehrt?!

Basch

Miramar und das Meer werden helfen.

Maximilian

Oh ungeheure Sehnsucht nach dem Meer! Meine
arme Carlota!

Basch

Wenn vor Ihren Blicken die Küste von Verakruz
verschwindet, ist das böse Fatum gebrochen. Alles
wird gut werden.

Maximilian

Das Einzige, was mich beruhigt, ist der Widerruf
des schrecklichen Dekrets vom Vorjahr!

Basch

Es ist ein schöner Abschluß, Eure Majestät!

Maximilian
(fährt nervös auf)

Abschluß? Nein! Das steht nicht bei mir. Kann
ich die Hinrichtungen widerrufen? Und Sie? Tribu-
lieren Sie auch schon wie Herzfeld? Dort unten im
Stadthaus verhandelt der Staatsrat meinen Ab-
dankungsantrag!
(er sieht auf die Uhr)
Mein persönliches Unglück muß bei höchsten Entscheidungen ausschalten!

Basch

Warum sind Eure Majestät nicht persönlich vor der
Junta erschienen?

Maximilian
(ganz verwirrt)

Ich kann nicht, lieber Basch! Ich kann keine Individuen ertragen . . .

Herzfeld
(*tritt ein*)

Maximilian
Sie sind frei, Doktor! Ich überlasse Sie für heute Ihrer Hexenküche.

Basch
(*im Abgehen leise zu Herzfeld*)
Nimm Dich zusammen!

Herzfeld
Die Deputation ist auf dem Weg. Ich beschwöre Eure Majestät an Ihr Heil zu denken.

Maximilian
Ich habe an das Heil Mexikos zu denken.

Herzfeld
Mexiko muß sich allein helfen.

Maximilian
Ich bin sein Kaiser!

Herzfeld
Für mich sind Sie Erzherzog von Österreich!

Maximilian
(*empört*)
Predigst Du die Schmach, Herzfeld?

Herzfeld
Die Rettung! Der Dandolo in Verakruz steht unter Dampf.

Maximilian
Ich bin kein Sträfling, der ausbricht.

107

Herzfeld

Zum Ausbrechen wird es bald zu spät sein. Juarez
dringt überall vor und die französischen Transport-
kolonnen marschieren nach den Häfen.

Maximilian

Ich habe mein Schicksal in die Hände des Staatsrats gelegt.

Herzfeld

Ich flehe zu Gott, daß er die Abdankung an-
nimmt.

Maximilian

Ist das Deine Gesinnung, Herzfeld? Ich könnte ein
Placet nicht fassen noch ertragen!

Herzfeld

Mein Gebet wird unerhört bleiben. Die Halunken
der Noblesse brauchen den Kaiser als Brustwehr.
Sie haben ja nichts zu erwarten als Rache! Sire!
Verlassen wir heute noch Orizaba! Dies sei die
einzige Vergeltung all meiner Freundschaft!

Maximilian

Herzfeld! Du hast mich nie verstanden!

Stimmengewirr
(*nähert sich draußen*)

Herzfeld

Da sind sie!

Die Deputation

(*erscheint. Sie besteht aus den Ministern Theodosio
Lares, Lacunza und Lizentiat Siliceo. Sie
faßt feierlich vor dem Kaiser Posto*)

Theodosio Lares

Eure Majestät! Mit jubelnder Glücksempfindung verkünde ich, daß Ihre vollzählig versammelte Junta den Antrag der Thronentsagung verwirft. Die Abstimmung für das Verbleiben Eurer Majestät im Vaterlande ergab die überwältigende Mehrheit von einundzwanzig gegen zwei Stimmen. Es gereicht uns zur besonderen Freude, Eurer Majestät berichten zu dürfen, daß eine Depesche des Erzbischofs eingetroffen ist, worin er dringend die Verteidigung der Monarchie fordert.

Maximilian
(wirft einen langen Blick zu Herzfeld hin, der den Kopf schüttelt)

Don Lacunza

Das Land wird die Entscheidung mit endlosem Jubel begrüßen. Eurer Majestät Person ist die stärkste Hemmung gegen die Flut destruktiver Tendenzen. Neu erwachte Begeisterung führt die junge Fahne der nationalen Armee zum Sieg über den frechen inneren Feind. Sire! Sehen Sie hinaus! Orizaba legt Flaggenschmuck an!

Lares
Hoch lebe Maximilian der Erste!

Die Minister
(stimmen ein)

Maximilian
(schnell, formell und menschenscheu)

Meine Herren Minister! Bewegten Herzens danke ich Ihnen für die Kundgebung Ihrer Treue! Ich

bitte Sie, unverzüglich in die Hauptstadt zurückzu-
kehren, wohin ich Ihnen folgen werde ...
(er reicht ihnen flüchtig die Hand)

Lacunza
Wollen Eure Majestät sich nicht der Menge zeigen?

Maximilian
(erschrocken, kindlich)
Oh ... bitte ... nein ...

Siliceo
Es wäre opportun.
Maximilian
(wie oben)
Nein ... Ich möchte nicht ...

Lares
So werde ich ...
(er tritt ans Fenster und ruft hinaus)
Es lebe der Kaiser!
Draußen Tusch und Hochrufe

Lares
(zum Kaiser)
Geruhen Sie, den Enthusiasmus zu bemerken!
Auch der Erzbischof hat ein feierliches Tedeum in
Aussicht gestellt.
Maximilian
Sehr erfreulich! Sehr dankbar! Kann man die
Menge nicht veranlassen, sich zu zerstreuen?

Lacunza
Sire! Sie wünschen Ruhe! Alles wird geschehen ...

Lares

Wir stehen zu allerhöchstem Befehl!

Die Minister
(ab)

Dämmerung

Herzfeld
(flehend)

Darf ich dem Fregattenkapitän Nanta vom Dandolo
Aviso geben?

Maximilian

Und Du glaubst wirklich, ich werde als interessanter
Bankrotteur nach Österreich zurückkehren? Die
höhnische Tadellosigkeit soll ich ertragen, mit der
mein Bruder mich tolerieren wird? Das glaubst
Du von mir? Mensch! Blut ist geflossen um meinetwillen! Willst Du mich ehrlos machen?! Blut
verpflichtet!

Herzfeld

Der Zustand der Kaiserin erfordert Ihre Anwesen-
heit in Miramar!

Maximilian

Ihr erhabener Wert erfordert mein Wirken in
Mexiko!

Herzfeld

Das ist verspielt!

Maximilian

Mag sein! Aber während die Minister mit mir
sprachen, hat Gott mir den entscheidenden Gedanken geschenkt. Ich kehre in die Residenz zurück

III

und berufe einen allgemeinen Nationalkongreß des ganzen Landes, der zwischen Juarez und mir entscheiden soll!

Herzfeld
(*wütend*)

Juarez!! Immer wieder Ihr Abgott Juarez, um den Sie buhlen. Eine theatralische Idee!

Maximilian
Du bist ein kleiner Mensch, Herzfeld!

Herzfeld
(*außer sich*)

Ihr Pathos, Sire, hat Sie um die Position gebracht, es kann Sie auch Ihr Leben kosten . . .

Maximilian
(*mit schroffer Distance*)

Ich lege Ihnen kein Hindernis in den Weg, das Ihre zu schützen!

Herzfeld
Gott helfe mir! Ich kann mich gegen Beleidigungen nicht wehren!

Maximilian
(*seiner Kälte verfallen*)

Hochgeborene Herren tadeln die Wahl meines Personals. Ich gehe allzusehr unter den Stand!

Herzfeld
(*blutrot nach langer Pause*)

Ich werde Ihre Befehle in der Residenz erwarten.
(*schnell ab*)

Maximilian
(steht eine Weile starr, dann zur Tür eilend)
Herzfeld! Ach Herzfeld!

Oberst Lopez
(tritt aus derselben Tür ihm entgegen. Er trägt einen brennenden Leuchter, den er auf den Tisch stellt)

Maximilian
(gehetzt)
Lopez, bleiben Sie ... Sie sind ein heiterer Mensch! ... Warum quält man mich so?

Lopez
Wohin werden Eure Majestät das Diner befehlen?

Maximilian
Nein! Ich werde nicht speisen! Setzen Sie sich zu mir! Hieher! Und erzählen Sie etwas! Eine Geschichte, schnell, Sie kennen ja Geschichten genug! Schnell!

Lopez
(unsicher)
Ich bin in Verlegenheit! Geschichten? Der Hof ist so mönchisch ...
Erinnert sich Eure Majestät der Prinzessin Salm-Salm?

Maximilian
(bejaht)
Weiter, weiter!

Lopez

Eine süße Frau, eine berückende Frau! Und wie
sie Eure Majestät fixiert! Diese Blicke machen mich
neidisch. Um die Augen hat die Prinzessin etwas
Berauschend-Wissendes. Und sie ist jung...

Maximilian
(stampfend)

Weiter, weiter!

Lopez

Vollkommene Aristokratin! Und doch! Sire, Sie
werden es mir nicht glauben, die Frau ist Kunst-
reiterin gewesen, ein Zirkusstern ...

Leise Geigenmusik
(sehr fern)

Lopez
(unterbricht sich und blickt schmachtend zum Fenster)

Die Minister feiern den Sieg beim Champagner.

Maximilian
(langsam)

Den Sieg!

Lopez

Wie das klingt! Ganz europäisch! Ich kenne das!
Oh die Nächte der großen Städte!

*(er schließt die Augen, lehnt sich zurück, schlägt die
Beine übereinander und nimmt in der Erinnerung die
Gebärde eines Lebemanns an, der die bunte Nacht
eines Pariser Vergnügungsortes genießt)*

Maximilian

Sie sind geladen, lieber Lopez, eilen Sie, daß Sie zum Fest zurecht kommen!

Lopez

Ich will Eurer Majestät Gesellschaft leisten.

Maximilian

Nein. Die Musik ist stärker. Genießen Sie den Abend!

Lopez
(zögernd)

Aber . . .

Maximilian
(schnell, aus enger Kehle)

Ich kann Sie nicht brauchen. Arbeit wartet auf mich.

Lopez
(geht unsicher, verlegen, auf Zehenspitzen ab)

Maximilian
(wirft sich nach einer Weile musikdurchzogener Einsamkeit stumm weinend über den Tisch)

Der Vorhang fällt

ACHTES BILD

Arbeitszimmer des Kaisers. Bibliothek. Schreibtisch. Dichtverhängte Fenster. Im Hintergrund breite Vorhangtür zum Schlafzimmer. Rechts Ausgangstür

Maximilian und Pierron

Pierron

So habe ich mich entschlossen, für den schlimmen Rat, den ich leider Eurer Majestät gab, Buße zu tun. Ich verleugne mein Vaterland und bin nicht mehr Franzose. Von diesem Augenblick an, Sire, gehöre ich einzig Ihnen.

Maximilian

Ich werde dieses Opfer nicht annehmen können.

Pierron

Die Liebe für Ihre Person befiehlt mir's und die Ehre. Ich verwerfe die Nation und ihren Souverän, die so niedrig handeln.

Maximilian

Nationen handeln nicht. Und die Souveräns? Schweigen wir davon!

116

Pierron
(deklamiert)

Napoleon ist der Repräsentant aller Eitelkeiten und Lügen der modernen Gesellschaft.

Maximilian
Zuviel, zuviel! Haben Sie ihm gut ins Gesicht gesehen? Er ist eine wehleidige Atrappe!

Pierron
Es war eine hoheitsvolle Gebärde, Sire, daß Sie die Abschiedsaudienz des Marschalls nicht akzeptiert haben!

Maximilian
Ich vergebe Bazaine. Sehen kann ich ihn nicht.

Pierron
Der Marschall bedeutet die Niederlage meiner Menschenkenntnis. Ich glaubte diesen plumpen, ungebildeten Mann zu leiten und habe nach seiner Musik getanzt. Jetzt sehe ich klar, daß dieser Analphabet mit dämonischer Intelligenz die Fundamente, die er befestigen sollte, zerstört hat. Keine seiner Aktionen war ehrlich! Er ist ein Abgrund!

Maximilian
Wie alle! Verstehen Sie ihn?

Pierron
Ich habe nur e i n e Erklärung. Seine manische Abneigung gegen Eure Majestät.

Maximilian
Und ich habe um ihn geworben.

Pierron

Jeder Haß setzt eine Erniedrigung voraus. Der
Marschall ist schon erniedrigt zur Welt gekommen.
Eure Majestät sind hoch, edelmütig, absichtslos und
ohne Gier. Er verzeiht Ihnen nicht, daß er anders
ist.

Maximilian

Nichts ist mir unbegreiflicher als Haß!

Pierron

Gestern hat Bazaine das Palais Buena Vista, das
Eure Majestät ihm geschenkt haben, verkauft.
Und wem? Dem Erzbischof!

Maximilian

Grauenvoll!

Pierron

Sire! Die endlose Liste derartiger Feinheiten erspare
ich Ihnen und mir.

Maximilian

Dies alles ist nun vorbei.

Pierron

Gut so! Die Dinge liegen gewiß nicht hoffnungs-
los. Der Stand der kaiserlichen Truppen ist nicht
gering. Zwei europäische Brigaden unter Hammer-
stein und Khevenhüller sind Ihnen geblieben, Sire!
Verfügt der Feind über solche Elite? Die berühm-
testen kreolischen Generäle versammeln sich um
Sie: Dieser Satan von Marquez, Miramon und
Meja! Juarez gebietet über kein Talent, außer
Porfirio Diaz! . . . Also? . . .

Maximilian
Mir graut vor der sinnlosen Schlächterei.

Pierron
Sire, glauben Sie, daß ohne den Kaiser weniger Blut in Mexiko fließen wird?

Maximilian
Sie sind Offizier, Pierron! Ihnen fehlt das sittliche Feingefühl für diesen Konflikt.

Pierron
Majestät! Stoßen Sie mich nicht weg! Nehmen Sie meine Dienste an!

Maximilian
Ich werde mich Ihrer bedienen. In einem anderen Sinn, als Sie es wünschen ... Jetzt rede ich als Freund: Meine Mission in Mexiko ist beendigt. Die Idee des Nationalkongresses, der über mich und Juarez entscheiden soll, eine gerechte und schöne Idee, wird von meinen eigenen Ministern obstruiert. Wie die Indianerreform, wie alles! Ich habe als Kaiser und Mensch den schmachvollsten Mißerfolg erlebt. Soll ich Ihnen mein Herz aufreißen? Nein! Es ist genug! Ich kehre nach Europa zurück, wo ich die Vaudevillerolle eines Ex-monarchen spielen werde, nach Österreich, wo ich die Sukzession verloren habe und der ungeratene Bruder eines musterhaften Automaten bin, nach Miramar, wo in verhängten Zimmern die unheilbar Kranke um meinetwillen leidet. Ich kehre zurück!

Mann! Wissen Sie, was das heißt? Drei Nächte lang habe ich mein Herz totgeschlagen. Aber ich kehre zurück!
(Er wendet sich ab)

Pierron
(leise mit gesenktem Haupt)
Sire! Und was befehlen Sie mir?

Dr. Basch
(tritt ein)

Maximilian
Sie werden gemeinsam mit dem Finanzminister mein persönliches Konto aufstellen, präzis, mit allen Posten, die ich etwa dem Staate schulde. Man vergesse nicht die Reise der Kaiserin! Ich werde mein Vermögen, die österreichischen Liegenschaften, der Begleichung dieser Außenstände widmen.
(zu Basch)
Nun?

Basch
(zeigt einen großen Korrekturabzug)
Ich habe eigenhändig in der Staatsdruckerei das Abdankungsmanifest gesetzt. Der Satz wird geheim verwahrt.

Maximilian
Die Druckerei mag sich heute nachts bereit halten!

Pierron
(schiebt ein wenig den Vorhang des Fensters zurück)
Um Gottes willen!

Gedämpft ertönt ein Militärmarsch (Marseillaise) und
Pferdegetrappel von Kavallerie auf schlechtem Pflaster.
Dämmerung

Pierron
Bazaine und sein Stab verlassen Mexiko. Mit
Musik! Und diese Büberei begibt sich unter den
Fenstern des Kaisers.

Maximilian
(sehr blaß)
Oh, der Marschall ist höflich. Er hat mir eine
Kabine auf seinem Schiff angeboten.

Basch
Das ist nicht alles. Er hat den Abmarsch der
Garnison dermaßen heimlich angesetzt, daß die
Bastionen der Festung den kaiserlichen Truppen
nicht übergeben werden konnten und viele Stunden
leer standen, trotzdem Porfirio Diaz in der nächsten
Umgebung schon vorrückt.

Maximilian
(hilflos)
Die Menschen sind meine guten Lehrmeister. Aber
ich begreife das Pensum noch immer nicht.

Pierron
(aufschluchzend)
Und dabei habe ich mitgewirkt!
(schnell ab)

Maximilian
Haben Sie Herzfeld gesprochen?

Basch

Eure Majestät hätten ein Wort für ihn finden sollen.

Maximilian

Es ist so schwer zu verzeihen, wenn man Unrecht hat.

Basch

Vor einigen Stunden ist Herzfeld aufgebrochen. Er wird auf allen Stationen Quartier machen, die Relais bereitstellen, um Eurer Majestät ungefährdete Abreise zu ermöglichen. Er erwartet unsere Ankunft in Verakruz. Wollen Eure Majestät nicht den Bürstenabzug korrigieren? Ich lasse dann das Manifest sofort ausdrucken.

Maximilian

Gut! Morgen früh wird es veröffentlicht!

Lopez

(tritt ein. Er hält ein Etui in der Hand)

Eure Majestät! Die Generäle sind im Schloß eingetroffen. Sie bedauern es tief, daß Höchstdieselben nicht bei Tafel erscheinen werden. Ich bin beauftragt, dem Kaiser ein Präsent seiner Generalität zu überreichen.

Maximilian

(entnimmt dem Etui einen schimmernden Gegenstand)

Ein goldener Buchstabe: M!

Lopez

Geruhen Sie zu lesen! Jeder Balken dieses M trägt den Namen eines Generals: Marquez, Miramon,

Meja, Mendez! Vier M bilden das große M, das auf der einen Seite Maximilian, auf der anderen Mexiko bedeutet!

Basch
Die Kabbala der Generäle!

Lopez
Die Vierzahl der Heldennamen ergibt die heilige Fünfzahl des Kaisers und des Vaterlandes.

(*primitiv*)

Und alles von Gold!

Basch
Ich will hängen, wenn es echt ist.

Ein Kammerdiener
(*tritt durch den Vorhang des Schlafzimmers, zündet Lichter an, macht sich zu schaffen und verschwindet wieder durch den Vorhang*)

Maximilian
Der Buchstabe M erinnert an ein eingestürztes Haus ...
Lieber Lopez, sagen Sie den Herren, ich bin sehr entzückt über die Aufmerksamkeit! Allerdings ... nun ... sagen Sie nur, ich bin sehr entzückt!

Lopez
(*ab*)

Maximilian
Wird morgen mit Gegengeschenken und Handschreiben zurückgestellt!

(übergibt Basch das Etui)
Ich lege mich jetzt hin, Doktor! Fieber und Schmerzen
melden sich wieder.

Basch
Die Medikamente stehen auf dem Nachttisch. Ich
bleibe in Hörweite, um alle Befehle sogleich aus-
zuführen. Denken Eure Majestät an das Manifest!
(Er legt den Bürstenabzug hin und geht)

Der Kammerdiener
(zieht den Vorhang des zweiten Zimmers auseinander)

Maximilian
Grill?! Habe ich Sie nicht beurlaubt?

Der Kammerdiener
(geht langsam auf den Kaiser zu)
Sie befehlen?!

Maximilian
(fährt zurück)
Wer sind Sie?
(tastet nach der Tischglocke)

Kammerdiener
(zieht die Glocke aus der Tasche)
Zur Vorsicht habe ich die Klingel an mich ge-
nommen.

Maximilian
Ich rufe!

124

Kammerdiener
(*sehr ruhig*)

Maximilian von Österreich! Sie werden das Vertrauen, das ich hiemit auf Sie setze, nicht täuschen . . .
Während meiner Haft in Puebla haben Sie mir
die Ehre Ihres Besuches geschenkt. Heute mache
ich Ihnen meine Gegenvisite, ich, Porfirio Diaz!

Maximilian
(*weicht sprachlos weit zurück*)

Porfirio Diaz

Ich nehme Lebensgefahr auf mich, um Ihnen zu
dienen. Ich fordere daher, daß Sie mich nicht
unterbrechen. Meine Zeit brennt. Als Sendbote
des großen Juarez stehe ich hier. Mein Auftrag
an Sie umfaßt vier Teile: Wahrheit, Anklage,
Urteil, Begnadigung!
Die Wahrheit über Ihre Lage. Maximilian:
(*er zeigt ein Schriftstück*)

Hier sehen Sie ein Schreiben Bazaines, der mir
Geschütze, Perkussionsgewehre und Berge von
Munition zum Kauf anbietet. Ich habe diesen Auftrag nicht beantwortet und auch den wichtigeren
nicht, worin er mir die Hauptstadt und Ihre Person
offeriert. Die Wahrheit über Ihre Truppen! Sie
sind gepreßt, also moralisch und praktisch wertlos.
Ihre Generäle? Marquez ist ein scheußlicher Lust-
mörder, der zum Vergnügen Verwundete massa-
kriert, Miramon ein Hochverräter, Mendez ein
Bluthund und Meja ein Kind! Alle sind kaiserlich,

denn sie haben erkannt, daß die Republik ihr Gericht sein wird. Das Fundament der Monarchie ist Schwachsinn und Verworfenheit! Wissen Sie das, Prinz von Habsburg?

Maximilian
(*gewinnt Haltung, tritt näher*)

Porfirio Diaz
Die Anklage! Erzherzog Ferdinand Max! Sie sind als Fremdester der Fremden in dieses Land gekommen, das Sie nichts angeht. Sie haben sich zum Werkzeug Napoleons und ekelhafter Finanzgenies gemacht, die gerne Blut vergießen, um Aktien emittieren zu können.

Maximilian
Das ist nicht wahr! Die Blüte Mexikos hat mir die Krone angeboten.

Porfirio Diaz
Wir beide, Herr, sind uns im klaren über diese Blüte. Sie haben die Freiheits-Doktrin unseres Kontinents verletzt, die rechtmäßige Regierung an ihrer hohen Pflicht behindert. Ohne Grund und allgemeinen Nutzen. Nur um Ihren hochmütigen Namen zu verklären und den grenzen- und sinnlosesten Ehrgeiz zu sättigen. Ihr Werk ist auf absurder Selbsttäuschung und grausamer Lüge gebaut.

Maximilian
Ich glaube nach wie vor, daß die legitime Monarchie, frei und radikal, wie ich sie gewollt habe,

126

diesem Reich die Erlösung von der Politik bringen
kann.

Porfirio Diaz

Und das Blutdekret?

Maximilian

Ich habe mein eigenes Glück, meine Frau, meine
Gesundheit für Mexiko hingegeben.

Porfirio Diaz

Zu verkünden bin ich hier, nicht zu diskutieren!
Ihr eigenes Dekret fällt das Urteil über Sie.
Der Bürgerpräsident müßte es vollstrecken. Aber
da Sie noch eine kleine Sekunde Zeit haben, b e -
g n a d i g t er Sie!

Maximilian
(verzerrt)

Begnadigen mich, mich, er, Mich!!!

Porfirio Diaz

Ja, er, der kleine Indianer, der verrufene, begnadigt,
b e g n a d i g t Sie, den Habsburger. Er, dem Sie
nur Böses getan haben, er, der Verjagte, begnadigt
Sie. Ermessen Sie die Größe dieser Gnade? Er
verzichtet auf Ihre Bestrafung, die zugleich Bestrafung aller Monarchien und Geldverbrechen der
Welt bedeuten würde!

Maximilian
(zur Türe eilend)

Unerträglich! Ich kann nicht mehr! Ich werde ...

Porfirio Diaz
(mit großer Ruhe)
Ich werde sehen, was ein Habsburger ist.

Maximilian
(hemmt seinen Schritt)
Sie stehen unter meinem Schutz, General!

Porfirio Diaz
Die Gnade ist an eine einzige Bedingung gebunden: Selbsterkenntnis. Selbsterkenntnis wird den Brief diktieren, den Sie an Don Benito Juarez schreiben werden. In diesem Briefe müssen Sie vollkommen Verzicht leisten, dem Präsidenten die Regierung übergeben, Ihre tiefe Reue ausdrücken und um freies Geleit nach Verakruz bitten! ... So sei Ihre einzige Strafe: Selbsterkenntnis! Dies meine Botschaft!

Maximilian
(schweigt steif)

Porfirio Diaz
Sie haben die Kraft zur Lüge und zum Bösen gehabt. Es würde mir leid tun, wenn Sie die Kraft zur Erkenntnis und zur Demut nicht hätten!

Maximilian
(schweigt)

Porfirio Diaz
Es würde mir leid tun, Maximilian von Österreich!
(Er wartet)

128

Alles steht bei Ihnen! Hier die Glocke! Zählen Sie
bis Zehn!
(*er verschwindet rasch im Schlafzimmer*)

Maximilian
(*wirft die Erstarrung ab, läutet rasend*)

Lopez, Dr. Basch, Don Blasio
(*treten bestürzt ein*)

Maximilian
Lopez! Blasio! Die Generäle! Sogleich! Vorwärts!
Lopez und Blasio
(*eilen fort*)

Maximilian
Basch! Der Satz des Abdankungsmanifestes wird
zerstört!

Basch
Um Himmels willen, was bedeutet das?

Maximilian
(*aufstampfend*)
Nicht fragen!

Basch
Eure Majestät!?

Maximilian
Mein Befehl bezüglich des kleinen Iturbide?

Basch
Das Kind und seine Mutter sind abgereist...

9

Die Generäle Marquez, Miramon, Mendes, Meja
(*treten ein*)

Lopez
(*hinter ihnen*)

Maximilian
Meine Generäle! Antworten Sie mir bei Ihrer Seele Seligkeit! Gibt es für uns eine Hoffnung, Juarez und Porfirio Diaz zu schlagen?

Leonardo Marquez
Bei meiner Seele Seligkeit! Nicht nur Hoffnung, sondern Gewißheit! Die Roten kennen Leonardo Marquez und zittern!

Miguel Miramon
Bei meiner Seele Seligkeit! Miguel Miramon hat siebenunddreißig Siege gegen die Plebejer erkämpft. Er garantiert!

Ramon Mendez
Bei meiner Seele Seligkeit!

Thomas Meja
(*mit zittender Stimme*)
Eure Majestät... Der häßliche Juarez... Das ist ein großer Tag!

Maximilian
General Marquez! Ich ernenne Sie zum Chef des Generalstabs! Ihre Vorschläge?

Marquez
Defensive mit Schwerpunkt in Queretaro!

130

Maximilian

Gut! Ich gehe mit der Hauptmacht nach Queretaro!
Morgen früh erwarte ich die Pläne! Jetzt danke ich
den Generälen!

Die Generäle

Pereat die Republik!!

(ab)

Basch

(mit verstörten Augen)

Eure Majestät! Welche furchtbare Verirrung! Was
ist vorgegangen?...

Maximilian

Nicht fragen! Nicht fragen!

Basch

Ach, welch ein Wahnsinn geschieht! Widerrufen
Sie!

Lopez

*(sagt, als würde er einer Stimme antworten, mit
sonderbarem Singsang)*

Queretaro!?

Basch

Queretaro! Das ist ja eine Mausefalle!

Maximilian

Ich weiß es...

Der Vorhang fällt

(Ende der zweiten Phase)

DRITTE PHASE

DRITTE PHASE

NEUNTES BILD

VEDETTE VOR DEM CERRO DE LA CAMPANA (GLOCKENHÜGEL) BEI QUERETARO

Ausgedörrte Steppe. Eine hochaufgeworfene Deckung
mit Sandsäcken. Rechts eine Gewehrpyramide

Korporal Johann Nepomuk Wimberger von der
früheren österreichischen Freiwilligenbrigade, die beiden
Infanteristen Yatipan, ein Mestize, und
Polyphemio, ein Indianer, lagern auf der Erde
und sind im Begriffe, aus zerbeulten Eßschalen ihre
Mahlzeit zu verzehren. Die Uniform des Korporals
ist trotz aller Defekte halbwegs in stand gehalten,
die Montur der beiden Mexikaner von unwahrschein-
licher Verkommenheit. Ihre grauen Zwilchhosen sind
mit allen Kotfarben der Welt besudelt. Yatipan trägt
unter der zerschlissenen Bluse das Rothemd der
Juaristen. Er ist ein Überläufer

Korporal Wimberger
(ein verwitterter Mensch von vierzig Jahren stößt an-
geekelt seine Speise von sich)
Da, Du Dreckfresser! Nimm diese Zubuße!

Polyphemio
(Man erkennt nicht, ob er kretinhaft oder nur bis an

die Grenze europäischer Fassungskraft faul ist. Er
langt nach dem Napf)

Wimberger
Gestern haben eure Soldatenhexen eine verweste
Katze gedünstet... Das hier schmeckt nach Aas-
geier...

Polyphemio
Wer kann das wissen, Herr?!

Wimberger
(*spuckt*)
Pfui, Pfui, Pfui! Wenn ich nicht meine Señorita
in dem Malefiz-Queretaro gefunden hätte!...

Yatipan
(*ein nicht unsympathisches Galgengesicht*)
Warum bist denn hergekommen aus Deinem
Europa, Korporal?

Wimberger
Um Dich kennenzulernen...

Yatipan
Ayaya! Du bist ein großer Herr! Hast Du drüben
schon für den Kaiser pronuntschiamentiert?

Wimberger
Die Familie hat mir nicht immer gepaßt... So um
Achtundvierzig...

Yatipan
Was ist das Achtundvierzig?
136

Wimberger
Das war unsere Revolution, Du Maultier! Da kann der rote Juarez dort einpacken!

Yatipan
Habt Ihr nur eine Revolution gehabt?

Wimberger
Ja! Aber mit Barrikaden, sag ich Dir!

Yatipan
Weißt Korporal! Ich war noch so klein! Da kommen die Kerle von der Soldatenpresse! „Bub! Pronuntschiamentier Dich! Wir machen Revolution!" Die erste Revolution hat mir drei Centavos im Tag gezahlt! Die zweite, ein halbes Jahr später, fünf Centavos! Bruder, ich hab mich für siebzehn Revolutionen, weiße und rote, pronuntschiamentiert. Aber mehr als zehn Centavos hat keine gegeben ... Und Du, was hast Du von der Revolution gehabt?

Wimberger
Eine Einladung zum längerdienenden Militär!

Yatipan
Und bist nicht mehr geworden als Korporal?

Wimberger
Oh Du halbroter Strolch! Hier bin ich ein dreckiger freiwilliger Korporal. Zuhaus aber war ich ein k. k. wirklicher Gefreiter vom Infanterieregiment Prinz von Hessen. Die Charg' ist mehr als so

ein mexikanischer General wie dieser Marquez. Der Hund echappiert mit der halben Garnison und läßt den Kaiser sitzen!

Yatipan

Weißt Du, was sie erzählen? Der Marquez hat gesagt: „Der Kaiser, das ist gar kein Kaiser!" Ein Kaiser hat eine goldene Montur, rote Streifen und einen Federbusch. Der aber mit seinem blauen Rock?! Nicht ein Stern!? Und er geht zu Fuß!? Und er redet angenehm?!

Wimberger

Wärst Du bei Deinen Chinacos drüben geblieben!

Yatipan

Korporal! Du bist ein hundsgemeiner Korporal! Und der Juarez hat den Offizieren verboten, uns zu schimpfen und zu schlagen. Alles nach Reglement! Keine Strafe ohne Rapport! Aber ich sag Dir: Ist Dein Gewehr nicht geputzt: Spangen! Schläfst Du auf Posten ein: An die Wand! Die Revolution ist nichts für mich. Da bin ich schon lieber kaiserlich...

Maximilian

(*kommt langsam. Er trägt einen einfachen blauen Waffenrock ohne jede Distinktion. In der Hand hält er einen groben Stock. Sein Ausdruck ist abwesend und erwartend, das Gesicht gebräunt und gealtert, der Bart nicht mehr zweigeteilt, kürzer, schütterer*)

138

Wimberger
(*salutierend*)

Euer Gnaden! Ich meld gehorsamst: Feldwache fünfzehn der Division Miramon!

Maximilian

Danke, Freund! Laßt Euch nicht stören! Weitermachen!

Yatipan
(*erhebt sich langsam*)

Polyphemio
(*nimmt keine Notiz*)

Maximilian

Ich kenne Sie schon, Korporal ... Sie heißen ...

Wimberger

Natürlich Wimberger, Euer Gnaden!

Maximilian

Die Soldaten?

Wimberger

Der da! Yatipan! Überläufer!

Maximilian
(*müde wie ein Mensch, der immer das gleiche wiederholen muß*)

Yatipan! Sie haben recht gehandelt! Sie müssen sich nicht schämen! Sie kämpfen nicht gegen Juarez, Ihren früheren Kriegsherrn, und nicht für mich! Sie kämpfen für den Nationalkongreß, der das Schicksal unseres Vaterlands entscheiden soll. Ich will Frieden! Ich will, daß Sie zu Ihrer Arbeit zurückkehren können ...

Yatipan
(mit leichter Verächtlichkeit)
Krieg!? Frieden!? Was nützt das?

Maximilian
Wir wollen ein glückliches Leben für Mexiko
schaffen!

Yatipan
Leben?! Gut! Nichtleben?! Gut! Was liegt daran?

Maximilian
Sie sind jung! Sie haben gewiß eine Mutter!

Yatipan
Ich weiß es nicht.

Maximilian
(über solche Apathie entsetzt)
Was ist Ihre Profession?

Yatipan
(grinst, zeigt ein belustigtes Gebiß, lacht langsam)
He – he – he – he!

Wimberger
(vertraulich)
Euer Gnaden! Bankerte von indianischen Troß-
weibern! Mit was für Bagasch haben wir uns ein-
gelassen . . .

Maximilian
(Ekel überwindend)
Niemand kämpft für mich! Wir schlagen uns für
die Abstimmung! Wimberger! Erklären Sie das den
Leuten!
(auf Polyphemio weisend)
Der?

Wimberger
Polyphemio, Euer Gnaden, ein konservativer
Wähler!

Maximilian
Hungriger Polyphemio! Es tut mir leid, daß wir
alle zusammen keine bessere Menage haben. Was
gibt es denn?

Polyphemio
(*ungerührt fressend*)
Wer kann das wissen, Herr?

Maximilian
Ich will einige Bissen Eurer Mahlzeit kosten . . .
(*er nimmt mit höchster Überwindung eine Eßschale
und ißt von der Speise*)

Wimberger
Euer Gnaden, tun Sie das nicht! Das ist nichts für
unsereins . . .

Maximilian
In wenigen Tagen sind unsere Entbehrungen zu
Ende. Ich habe gute Nachrichten. Der General
Marquez kommt schon mit achttausend Mann
zurück . . .

Polyphemio
(*gähnt*)
Wer kann das wissen, Herr!

Maximilian
(*gibt die Eßschale zurück*)
Hat die feindliche Batterie drüben auf San Gregorio
geschossen?

Wimberger
Jetzt ist Mittagspause!

Polyphemio und Yatipan
(nehmen ihre Gewehre und legen sich auf die Böschung der Schanze)

Wimberger
(will sich dem Kaiser nähern)

Maximilian
(Zuckt zusammen, weicht zurück. Sein Gesicht zeigt den gequälten Ausdruck von Migräne, Zerrüttung, Ekel, unerträglicher Last. Er faßt sich schnell. Ihm gelingt ein forciertes Lächeln)

Geduld, lieber Landsmann! Ich weiß. Es ist schwer. Aber ich bin unter Euch, immer unter Euch!

Yatipan
(legt das Gewehr an)

Halt! Wer da?

Stimme
Ein Freund!

Wimberger
(bei der Deckung)

Feldruf?

Stimme
Rückkehr General Marquez!

Wimberger
Parole?

142

Stimme
Glockenhügel!

Wimberger
Passiert!

Ein Offizier im juaristischen Rothemd
(*tritt vor, nimmt seinen Sombrero ab und entpuppt sich als die blonde*)

Prinzessin Agnes Salm
(*die sich vor dem Kaiser verneigt*)
Eure Majestät! Ich melde gehorsamst mein Ein-
rücken!

Maximilian
(*erschrocken*)
Aber Fürstin! Woher in aller Welt kommen Sie?

Prinzessin Salm
Aus dem Lager des Escobedo, wo ich gute Freunde
habe.

Maximilian
Sie machen mich ernstlich böse! Das tollkühnste
Wesen sind Sie, das mir jemals begegnet ist. Ihr
Mann und ich werden über Sie Zimmerarrest ver-
hängen müssen!

Prinzessin Salm
Aber warum, Eure Majestät!? Lassen Sie mich
doch! Es ist Glück und Lebenslust für mich, Ihnen
zu dienen!

Maximilian

Zu allen Sorgen habe ich noch die Sorge um Sie.
Sie erleichtern mir die Verantwortung nicht, die ich
hier für alle fühlen muß.

Prinzessin Salm

Meine Tätigkeit ist herrlich. Ein erfüllter Traum.
(sehr einfach)
Ich habe den Helden gefunden, an dessen Existenz
ich den Glauben schon verloren hatte. Ich müßte
krank werden vor Scham, dürfte ich nichts für Eure
Majestät tun.

Maximilian

Ich bitte Sie, Prinzessin!

Prinzessin Salm
(mit der offenen Naivität einer Kanadierin)
Sie sind ein wahrer Herrscher, Sire! Sie haben
meinem Leben Sinn und Inhalt gegeben. Ach alles
ist Monotonie. Kein Mensch ist der Mühe wert. Aber
in Ihrem Namen, im bloßen Namen schon lag
Zauberei. Tief habe ich das gespürt. Und darum
sind wir, mein Mann und ich, nach Mexiko gegangen.
(unsicher)
Habe ich mich dumm ausgedrückt?

Maximilian
(mit einem Blick auf die Soldaten bei der Deckung)
Sprechen wir leiser!

144

Prinzessin Salm
Ich lese Ihre Gedanken. Sie denken: Diese Seil-
tänzerin! Ich bin Künstlerin gewesen, es ist wahr,
und ich habe mein Leben gelebt. Aber ich stamme
von guter Puritanerfamilie. Ich sage das nur, um in
den Augen Eurer Majestät mir ein wenig zu helfen ...
(unterbricht sich beschämt)
Ach Gott! Ein Mensch werden, ist alles!

Maximilian
Ja, Fürstin, und das ist nicht leicht.

Prinzessin Salm
(innig)
Es ist leicht, wenn wir einen Führer gefunden haben.
(leise)
Bis zu Escobedo bin ich vorgedrungen.

Maximilian
Und was gibt es?

Prinzessin Salm
Schlimme Nachricht leider! Marquez ist bei San
Lorenzo von Porfirio Diaz geschlagen worden und
ist jetzt in der Hauptstadt eingeschlossen. Keine
Hoffnung auf Entsatz mehr!

Maximilian
Hoffnung auf nichts mehr!

Prinzessin Salm
Oh nein! Es bleibt ein totsicherer Weg für Eure
Majestät: Der Durchbruch in die Sierra gorda!
Das Gebiet ist Mejas Heimat und bis ins letzte Dorf

10

kaiserlich! Der Weg zum Meer steht frei. Escobedo wird nicht wagen, Sie zu verfolgen. Ich weiß es!

Kanonenschuß

Wimberger

Euer Gnaden! Die Batterie drüben hat uns ein-gesehn. Achtung! Sie streuen in Gabel!

Fernes Rauschen einer Granate und Explosion

Wimberger

Zweihundert Schritt zu weit!

Prinzessin Salm

Sire! Sie müssen sogleich Schutz suchen!

Maximilian

Madame! Sie sind strenger mit mir als mit sich!

Prinzessin Salm

Auf mein Leben kommt es nicht an ...

Abschuß, Rauschen, Explosion

Wimberger

Hundert Schritt zu kurz!

Prinzessin Salm

Die Grotte des Glockenhügels liegt sehr nah! Ich bitte, Sire, suchen Sie Deckung auf!

Maximilian

Darum muß ich Sie ganz ergebenst bitten...

Abschuß, scharfes Näherheulen

Wimberger

Maria und Josef! Die kommt! Eins ... zwei. . drei ...

(er bückt sich tief zur Erde)

146

Yatipan und Polyphemio
(werfen sich hin)

Prinzessin Salm
*(zieht die Schultern hoch, senkt den Kopf und schützt
ihn mit den Händen)*

Maximilian
*(breitet die Arme aus, schreitet so vor und die Deckung
hinan, als wollte er die Granate auffangen)*
*Klatschendes Geräusch, wie wenn ein großer Stein ins
Wasser fällt*

Wimberger
Blindgänger! Euer Gnaden bringen Glück!

Yatipan und Polyphemio
*(von plötzlicher Wildheit erfaßt, tanzen und brüllen
feindwärts)*
Ayaya! Ihr stinkenden Äser! Ayaya! Ihr Latrinen!
Ayaya!

Oberst Lopez
(nähert sich von rechts)
Ich bin Eurer Majestät gefolgt. Habe nur die
Batterielage in der Grotte abgewartet . . .

Prinzessin Salm
(lacht auf)
Sehr vorsichtig!

Maximilian
(menschenscheu)
Meine Visitierung der Feldwachen ist noch nicht
beendet. Ich möchte wie immer dabei allein

10*

bleiben. Lieber Lopez! Begleiten Sie die Prinzessin ins Hotel de Diligencias! Schnell! Ehe die Batterie wieder beginnt!
(zu den Soldaten)
Kameraden! Eine kleine Weile noch ...
(er winkt allen flüchtig zu und geht)

Lopez
(tritt dicht an die Prinzessin und sagt leise)
Madame! Sie beantworten meine Briefe nicht!

Prinzessin Salm
(ignoriert ihn)

Lopez
Sie kennen mich nicht! Sonst wären Sie gut zu mir!

Prinzessin Salm
Ich will wenigstens aufrichtig sein, Oberst Lopez! Schöne Männer Ihres Stils sind mir widerlich! Ich mag Sie nicht. Ich verstehe des Kaisers Hund Bebelle, der heult, wenn er Sie sieht.

Lopez
(verzerrt)
Sind Sie im Lager Escobedos auch so spröde, gnädige Frau?

Prinzessin Salm
Das ist eine Frechheit!

Lopez
(zerknirscht)
Ach, verzeihen Sie mir! Strafen Sie mich! Ich liebe Sie. Nicht mehr ertragen kann ich dieses Leben.

148

Die grauenvolle Einsamkeit in Queretaro! Ein Dorf! Nur Männer, nur Uniformen, Hunger, Elend, Langweile, Belagerung! Ich halte mich nicht aus. Wüßt ich das Zauberwort, ich ließe die Welt einstürzen! Nur mich nicht mehr tragen müssen! Sie allein können mich retten! Oh, Ihr Duft, Ihre Stimme! Ich bin besinnungslos...

Prinzessin Salm
Sie sind krank.

Lopez
(ernst)
Ich bin krank. Unruhe ist meine Krankheit von kindauf. Niemals bin ich geliebt worden. Ich suche! Nur die Stunde mit einer Frau kann mich heilen, ruhig machen. Sie sind meine Gesundung! Haben Sie Mitleid!

Prinzessin Salm
Mitleid? Nein! Eher Angst vor Ihrem Gesicht...

Lopez
Sie lieben den Kaiser.

Prinzessin Salm
Lästern Sie nicht!

Lopez
Wenn Sie den Kaiser lieben, wenn Sie sein Heil wünschen, müssen, müssen Sie mich erhören. Ich bete täglich zur Jungfrau. Aber verjagen Sie meinen Schutzengel nicht! Ich beschwöre Sie!

Prinzessin Salm
Genug! Gehen Sie!

Lopez

Ich habe Befehl, Sie zu begleiten.

Prinzessin Salm

Ich verbiete Ihnen, mich zu begleiten!

Lopez

So will ich heute die ganze Nacht im Hof des
Hotels auf Begnadigung warten. Das können Sie
mir nicht verbieten.

Prinzessin Salm
(*blickt an sich hinab*)

Jetzt ist mir diese Verkleidung peinlich! So gehn
Sie doch!

(*plötzlich*)

Halt! Wie kommt es, daß die feindlichen Offiziere dort drüben Sie so gut kennen, Herr Oberst?

Lopez
(*blutrot, mit schwerem Atem*)

Ich kann mich nicht besser verständlich machen.
Ich bin ich. An Ihnen liegt es, ein Unglück zu
verhüten.

Der Vorhang fällt

ZEHNTES BILD

KAISERLICHES HAUPTQUARTIER IM KLOSTER LA CRUZ ZU QUERETARO

Eine Terrasse, von der freie Stufen zu einem hof-artigen Platz herabführen. Rechts über der Terrasse steigt ein kahles, ziemlich niedriges Gebäude an, dessen flaches Dach, die Azotea, dem Zuschauer sicht-bar ist. Den Hintergrund schließt eine festungsartige Mauer ab

Nacht. Auf der Terrasse ein Tisch mit Kerzen und einem Orangeade-Glas.

Maximilian
(sitzt am Tisch)

General Thomas Meja
(steht vor ihm)

Lopez
(lehnt schweigsam an der Haustür)

Meja
(sein breites und braunes Gesicht strahlt, die dürftige Figur ist gestrafft. Er hält eine Depesche in der Hand)
Bedenken Sie, mein erhabener Herr, ich bin fünfzig Jahre alt! Keine Kinder zu haben war mein großer

Schmerz. Drum nahm ich die junge Frau. Und
gestern (Dank Euch, Ihr Heiligen) bekomme ich
einen Sohn. Hier die Depesche! Einen gesunden
Jungen! Und er ist mehr nach ihr geraten, als nach
mir Häßlichem! Weiße Haut hat das Kindchen.
Jetzt, Majestät, jetzt kämpft Thomas Meja nicht
mehr für den Kaiser allein, jetzt kämpft er für sich
und sein Kind! Wir kommen durch, mein Kriegsherr! Wir kommen durch in die Sierra gorda, in
meine Berge, die ihre alte Wildkatze lieben. Ich
verbürge mich. Dort sind wir sicher und stark.

Maximilian
Ich freue mich innig mit Ihnen, mein lieber General!
Das muß ein wunderschönes Gefühl sein ... Möge
Ihr Kind, Sie, wie alle noch froh werden! ...
Sind die Dispositionen getroffen?

Meja
Bis in die letzte Kleinigkeit! Dreitausend Zivilisten
haben die Schanzen bezogen und beginnen um
sechs Uhr früh ein Verschleierungsfeuer mit den
zurückbleibenden schlechten Musketen. Escobedo
wird darauf hier im Osten die Cruz voll angreifen.
Wir aber stoßen, alle sechstausend Mann in dichten
Kolonnen, westlich beim Glockenhügel vor. In zwei
Stunden ist die schwache Stellung von San Gregorio überrannt, und wir sind durch!

Maximilian
Wird man sich nicht an der Bevölkerung von
Queretaro rächen?

152

Meja

Keine Gelegenheit dazu! Im Augenblick unseres Vorstoßes legen die Zivilisten die Waffen hin und gehn nach Hause.

Lopez
(plötzlich aus dem Hintergrund mit einer mühsam monotonen Stimme)

Warum hat man den Durchbruch nicht gestern unternommen wie es zuerst geplant war?

Maximilian

Ich bin gar nicht unzufrieden damit. Der konventionelle Dreizehnte ist auch mein Glückstag nicht.

Lopez
(träumerisch)

Schade! Schade!

Maximilian

Was für Ordre haben die Husaren und die Eskorte?

Lopez

Ich komme von der Visitierung. Die Mannschaft schläft in Bereitschaft, die Pferde gesattelt mit lockeren Gurten.

Meja

Gut so!

Maximilian

Und die Reveille?

Meja

Um fünf Uhr!

Maximilian
(Meja umarmend)

Mein geliebter Freund Meja! Ich gratuliere Ihnen

nochmals vom Herzen. Ihr Vaterglück sei unser gutes Omen!... Und jetzt legen Sie sich hin. Sie müssen schlafen!

Meja
(*erschüttert*)

Oh, mein Herr! Ich kann nicht sagen, was mich bewegt.

(*ab über den Hof*)

Maximilian
Sie haben mir von Beginn an sehr aufopfernd gedient, Lopez! Ich will Ihnen danken! Nehmen Sie hier die Tapferkeitsmedaille, die mir die Armee geschenkt hat!

Lopez
(*erschrocken*)

Nein! Keinesfalls, Eure Majestät!

Maximilian
Sie haben eine quälende Zurückhaltung.

Lopez
Ich verdiene das nicht.

Maximilian
Ihr Generalspatent ist leider abgelehnt worden. Die Generäle erklären sich gegen Sie. Sie faseln von einem patriotischen Fehltritt Ihrer Jugend, von Felonie gar. Mein Gott, Militärs zeigen ein großes Ehrgedächtnis für andere...

Lopez
(*als würde er einen Grund zur Erbitterung suchen*)

Und Eure Majestät haben es nicht versucht, Ihren Willen gegen die Generäle durchzusetzen?

154

Maximilian

Dazu wäre die Zeit schlecht gewählt gewesen!

Lopez
(mit einer leisen Spur sentimentaler Giftigkeit)

Sire! Ich möchte auch nicht befördert werden.

Maximilian

So kann ich Ihnen für Ihre Treue nichts anderes
schenken als eine Bitte! Sie haben eine gute
Pistole. Wenn mir Gefangenschaft droht, erlösen
Sie mich durch eine Kugel!

Lopez
(mit funkelnd-lockenden Augen)

Wollen Eure Majestät nicht lieber mich erschießen?!
Gleich!?

Maximilian
(fixiert ihn eine Weile)

Sie sind sehr überreizt, Lopez!

Lopez

Das ist wahr, Eure Majestät. Queretaro ist zwei
Kilometer lang, einen halben breit. Drei Monate
leben wir in diesem Käfig. Sire! Kennen Sie
den gräßlichen Augenblick, wenn die arme Seele
schreit, wenn sie ertrinkt in sich selbst, wenn sie
in der eigenen Einsamkeit erstickt!? Man möchte
rennen, rennen, rennen! Ins Freie! Aber Mauern
überall, schmutzige Soldaten, Pferdeknechte mit
Tränkeimern! ...
Wieviel Fremde leben in einem Menschen?! Sie
klopfen, sie locken, sie wollen heraus ...

Maximilian
Morgen werden wir frei sein!

Lopez
Oh nein! Immer dasselbe! Berge, Dörfer, Einsamkeit!
(gehetzt)
Eure Majestät! Ich gäbe mein ganzes Leben darum, wenn wir jetzt fort wären, weit, weit überm Meer, in Europa, im Licht, in Paris ...

Maximilian
(lächelnd)
Und die Fürstin Salm, bester Lopez?

Lopez
Eine ganze Dirne hätte geholfen!

Dr. Basch
(kommt aus dem Haus)
Der Feind hat ein Paket europäischer Zeitungen passieren lassen.

Maximilian
Aufs Stichwort! So können wir die Paris-Schwärmerei unseres Freundes Lopez gleich befriedigen. Nehmen Sie Platz, meine Herren! Und Basch liest uns vor.

Basch
(beginnt, nachdem er sich gesetzt hat, die Überschriften abzulesen)
„Die Weltausstellung" ... „Paris ein zauberhafter Licht-Ozean" ... „Die kulturelle Apotheose des

Kaiserreichs" . . . „Triumphale Huldigung für
Napoleon auf dem Marsfeld" . . . „Blumenfeste".

Lopez
(*träumend*)
Blumenfeste! Was es gibt, was es alles gibt!?

Maximilian
Ja, was es alles gibt!!

Basch
„Jules Favre spricht in der Kammer über Mexiko."

Maximilian
Das geht uns an! Nun?

Basch
(*vorlesend*)
„Glaubte man mit der republikanischen Ethik, mit
dem ehernen Rechtswillen eines Juarez so leicht
fertig werden zu können? Nichts zeigt die neur-
asthenische Hast und Unehrlichkeit napoleonischer
Politik greller als der mexikanische Unfug! Maximilian ist . . ."
(*unterbricht*)

Maximilian
Was bin ich denn? Heraus damit!

Basch
Majestät! . . .

Maximilian
(*nimmt ihm das Blatt aus der Hand*)
Jedenfalls bin ich kein Schauspieler, der eine schlechte
Presse fürchtet.

157

(*er liest*)
„Maximilian ist ein veritabler Don Quixote".
(*er gibt lachend die Zeitung zurück*)
Finden Sie das so bös? Es gibt sehr gewitzte Zeiten,
wo ein anständiger Mensch nichts Besseres sein
kann!

Lopez
(*fährt unvermittelt aus einer langen Apathie auf*)
Sire! Ich habe einen Inspektionsgang.

Maximilian
Geben Sie mir die Hand, Lopez! . . . Gute Nacht!

Lopez
*fast laufend über die Treppe nach hinten ab. Ehe er
verschwindet, bleibt er noch einmal stehen, ohne sich
nach dem Kaiser umzublicken*)

Basch
(*kopfschüttelnd*)
Diese Kreolen sind durch die Bank Epileptiker.

Maximilian
Er hat eine angenehme Stimme! Sein Wesen zieht
mich an wie Mexiko.

Basch
Hätte er nur einen Blick in den Augen!

Maximilian
Sie sind nervös?

Basch
Ich bewundere tief die Ruhe Eurer Majestät!
158

Maximilian

Sehn Sie hinaus, Basch! Die Gipfellinie der Sierra im fremden Sternlicht. Eine unheimliche Stenographie! Mir ist es, als verstünde ich jetzt erst diese Natur, wie ich jetzt erst Juarez verstehe und mich! . . . Ananasduft, giftig-süß! Spüren Sie ihn?

Basch

Wind des Plateaus von Mexiko!

Maximilian
(seine Seele kämpft gegen Porfirio Diaz)

Selbsterkenntnis?!? Man hat immer nur soviel Selbsterkenntnis, als man ertragen kann. Ich habe ihrer viel ertragen gelernt. Nicht das Leid erzieht, aber die Gefahr! Sie ist die Mutter unseres wahren Wesens. Alles ist erborgt, was dem höchsten Risiko nicht standhält, und fällt ab: Geburt, Titel, Ruhm, Ehrgeiz, Kunst . . . Lächerlich! Der Mensch und vor ihm das nackte Leben ohne Lüge. So erkennt er seinen eigentlichen Rang in der Natur! Er kommt zu sich. O göttliche Ruhe des erfüllten Selbst! Mein Körper ist krank. Aber ich fühle diese abenteuerlich-fremde Erde unter meinen Sohlen wie ein Wanderer, der sein Ziel kennt.

(Pause)

Ich bin so eigen glücklich. Das erstemal in Mexiko. Und der Glückliche wird Glück haben.

Die Glocke von La Cruz schlägt ein Uhr

Basch

Nur mehr drei Stunden Schlaf . . .

Maximilian

(er blickt noch einmal in die nächtliche Landschaft hinaus)

Was auch geschehen mag, es wird nicht häßlich sein.

(ab ins Haus. Dr. Basch folgt mit dem Leuchter)

Die erst sternhelle Sommernacht bewölkt sich. In tiefster Finsternis wird die angespannte Zeit des Dramas selbst jetzt zum Vorgang. Die Uhr der Cruz schlägt in gemessenen Spannen nach einander Zwei und Drei. Der unwirkliche Raum dieser Stunden ist von allerhand hallenden Nachtgeräuschen erfüllt: Stampfen, Scharren, Wiehern der Pferde, Hundegebell, seltenen Schritten. Ganz vom Weiten erklingt das mißtönende, immer wieder unterbrochene Lied eines Betrunkenen, schläfrig lallend.

Nach dem letzten Glockenschlag erscheinen zwei Gestalten mit Laternen, die den Hof umkreisen. Sie verschwinden wieder und kehren dann mit einem lautlosen Piquet Soldaten zurück, von denen zwei Mann Fackeln tragen, die sie alsobald verlöschen. Die Abteilung dringt ohne jedes Geräusch ins Haus und erscheint sodann auf dem flachen Dach. Zugleich verteilt einer der Laternenträger vor allen Ausgängen des Hofes Doppelposten. Es schlägt vier Uhr. Dämmerung, Zwielicht, erste Helle folgen einander rasch. Die Gestalten von Lopez und von dem republikanischen Obersten José Rincon-Gallardo werden deutlich

Rincon-Gallardo
*(senkt die Pistole, die er gegen die Stirn des Lopez
gerichtet hielt)*

Kein Betrug also! Haben wir alle taktischen Punkte
besetzt?

Lopez
(starr wie ein Schläfer)

Alle ...

Rincon-Gallardo
Die Batterie der Cruz ist gegen die Kaserne
gerichtet?

Lopez
Gegen die Kaserne ...

Rincon-Gallardo
Nichts versäumt?

Lopez
Nichts ...

Rincon-Gallardo
(packt Lopez und schleudert ihn zu Boden)

Du hündischer Verräter, warum hast Du das
getan?

Lopez
(wendet, kniend, ein leeres Antlitz empor)

Ich weiß es nicht.

Rincon-Gallardo
Um Geld nicht, denn Du bist reich.

Lopez
Um Geld nicht.

Rincon-Gallardo
Hat er Dir Böses getan?

Lopez

Nur Gutes.

Rincon-Gallardo

Oh krankes Verbrechen Du, könnte ich Dich zertreten! Du bist die erste Schande der Republik.

(*er wendet sich ab*)

Lopez
(*mit krampfigen Lauten*)

Erwachen ... Ich ... Erwachen ...

Rincon-Gallardo

Stehen Sie auf! Wecken Sie den Erzherzog! Man finde einen Weg! Ich lege kein Gewicht auf Gefangennahme. Konsequenzen wären nicht zu vermeiden. Verstanden? Vorwärts!

Lopez
(*aufbrüllend*)

Verrat! Verrat! Der Kaiser verraten! Der Feind ist in der Cruz! Verrat ...

(*stürzt ins Haus*)

Rincon-Gallardo

Queretaro unser! Aber meine Hände sind schmutzig!

(*er wischt sich in ein Tuch*)

Pfui Teufel!

Die gewaltige Südsonne
(*steigt auf. Die Schatten werden violett. Der Ruf des Verräters pflanzt sich fort. Halbbekleidete Männer rennen aus dem Haus und von allen Seiten herbei: Offiziere, Soldaten, Pferdeknechte, Diener mit Gepäck.*

Ungeheures Durcheinander. Dr. Basch, Don Elasio,
Grill werden sichtbar)

Maximilian
*(tritt im Höhepunkt des sogleich verstummenden Tumults
vollkommen ruhig, mit überlegener Fassung aus dem
Haus. Er trägt den nackten Säbel in der Hand)*

Ruhig, Brüder! Es ist nichts verloren! Keine Rede
von Verrat! Eine feindliche Patrouille hat uns
überrascht! Weiter nichts! Auf zum Glockenhügel,
Brüder! Meja erwartet uns! Ruhig!

Die Kaiserlichen
(sammeln sich um Maximilian)

Maximilian
(nähert sich Rincon-Gallardo)

Rincon-Gallardo
(blickt zur Seite und ruft seine Posten an)
Bürgerliche! Sie passieren!

Maximilian
Mein Herr! Ich bin der Kaiser.

Rincon-Gallardo
Ich kenne keinen Kaiser. Von Ihnen nehme ich
nicht Notiz. Was diesen überflüssigen Säbel betrifft,
erinnere ich Sie an das Blutdekret des Eindring-
lings! „Wer mit der Waffe in der Hand angetreten wird ..." Sie dürften den Text ja kennen.
(tritt weg)
*Gewehrfeuer setzt plötzlich ein. Die Stadt läutet
Sturm*

Die Kaiserlichen
(angstbleich, in einem dumpf-gehackten Rhythmus)
Es lebe Maximilian!

Maximilian
(nach einer Pause, leise, mit einer heiteren Stirn)
Nein ... Nicht ich ... Nicht ich ...
(er hebt leicht den Säbel)
Zum Glockenhügel, liebe Brüder!

Höchste Steigerung des Morgenlichts

Der Vorhang fällt

ELFTES BILD

REGIERUNGSSITZ DES PRÄSIDENTEN JUAREZ ZU SAN LUIS POTOSI

Schmales Amtszimmer, ähnlich, doch wohlgehaltener als das zu Chihuahua

Prinzessin Salm
(in einem Reisekostüm mit Hut und Schleier. Sie glüht vor Erregung und geht mit unweiblich großen Schritten im Zimmer auf und ab)

Herzfeld
(strapaziert, gealtert)
Das Kriegsgericht im Theater von Queretaro war eine abgekartete Farce! Man denke nur: Junge Hauptleute, Lausbuben als Richter! Durch Nichtachtung noch sollte die Monarchie gekränkt werden. Das Todesurteil war längst vorher gefällt. Es ist aus! Wir werden den Kaiser nicht retten!

Prinzessin Salm
Wir werden nicht!? Ja, das ist Euer Wort und Eure Seele, Ihr feigen Österreicher! ... Ich hatte schon alles zur Flucht des Kaisers vorbereitet.

Zwei republikanische Oberste waren gewonnen. Da handelt es sich um einen lächerlichen Wechsel, den der österreichische Gesandte kontrasignieren soll, weil kein Geld da ist. Aber er weigert sich, der Eitelkeitskadaver, der bürokratische. Er könnte die „k. k. Gesandtschaft kompromittieren". Männer??? Ha! Verprügelte Internatsknaben sind das, Jesuitenopfer, lasterhafte! Die Flucht ist zum Teufel gegangen ...

(bleibt vor Herzfeld stehen)

Wir werden nicht, Herzfeld?! Wir werden!! Wir müssen!!

Porfirio Diaz
(tritt ein)

Prinzessin Salm
(ihm entgegen)

Der herrlichste Mann Mexikos, Porfirio Diaz! General, Sie haben die Belagerung der Hauptstadt verlassen. Das kann nur bedeuten, daß Sie nicht dulden werden, daß man die lichteste Unschuld hinmordet.

Porfirio Diaz
(mit kaltem Ernst)

Ich habe hier in San Luis keine andere Aufgabe als mein Referat.

Herzfeld
(verbeugt sich vor dem General)

Herzfeld bin ich, der Jugendfreund Maximilians von Österreich. Oh warum, Herr General, kennen Sie

diesen Engel nicht? Sie, gerade Sie würden sich
schützend vor ihn stellen.

Porfirio Diaz
Der Erzherzog Ferdinand Max ist ein Verbrecher!

Herzfeld
Verbrecher?! Barmherziger Gott! Vor welchem
Gesetz? Ich schwöre den heiligsten Zeugeneid:
Maximilian hat im guten Glauben gehandelt. Man
hat ihn umworben, rücksichtslos zur Kronannahme
gedrängt. Die Adhäsionsakte sämtlicher Provinzen
häuften sich in Miramar. Trotz alledem zog der
Edle in höchster Gewissenhaftigkeit noch inter-
nationale Rechtsexperten heran ... Die ganze
offizielle Welt sagte Ja!

Porfirio Diaz
Ein Zeichen ihrer Verbrechermoral.

Herzfeld
Ein Zeichen von Maximilians Unschuld!

Porfirio Diaz
Subjektive Unschuld hebt weder das Naturgesetz,
noch auch das göttliche und menschliche auf. Wäre
Ihr Freund reifer, klarer gewesen, hätte er bei-
zeiten erkannt, daß er das Opfer eines wollüstigen
Spekulanten und einiger feudaler Desperados werden
muß. Nun ist er das Opfer!

Prinzessin Salm
(*gepeinigt*)
Diskussionen! Immer Diskussionen!

Herzfeld
Ach Herr General! Warum ziehen Sie Napoleon und Bazaine nicht zur Verantwortung?

Porfirio Diaz
Der Bürgerpräsident ist leider gezwungen, sich an ihren Stellvertreter zu halten.

Herzfeld
(*in flehender Erregung*)
Maximilian ist kein Prinz nach der Regel. Er ist eine geniale Ausnahme seines Standes. Sehen wir ab von diesem Stand, den auch ich als geringer Schiffsoffizier nicht liebe! Maximilian ist ein schöner Mensch, in der Gottesbedeutung dieses Wortes. Fanatiker jeder Gesinnung gibt es genug! Aber wo lebt noch ein schöner Mensch?! Ich flehe Sie an, sehen Sie nichts als diesen Menschen! Sein ganzes Verbrechen war, daß er sich Kaiser nennen ließ. Aber kam er nicht wie ein Apostel ins Land, mit einem sozialen Willen, der (ich sage es kühn) den Radikalismus des Präsidenten übertrifft? Sein großer Traum war die Befreiung des indianischen Volkes. In einer Heils-Tat sah er den einzigen Zweck seiner souveränen Mission. Den Indianer Juarez müßte gerade diese Tatsache versöhnen.

Porfirio Diaz
Don Benito Juarez hat keine Leidenschaften. Nichts also kann ihn bestechen. Er tut nicht das Gute, sondern das Richtige, und einzig dies ist in den Folgen

gut. Der Apostel aber, der „schöne Mensch", erläßt das Dekret vom dritten Oktober. Mehrere tausend Mexikaner werden hingeschlachtet . . . Jetzt hat er sich selbst in der Schlinge seines Gesetzes gefangen. Ich bitte, klar und gerecht zu schließen!

Herzfeld
Das Dekret? Scheinheilig alle Entrüstung!! Dieses Dekret hat den Sieg der Republik erwirkt.

Prinzessin Salm
Porfirio Diaz! Ich glaube Ihnen nicht! So können Sie nicht fühlen.

Porfirio Diaz
Das Kriegsgericht von Queretaro hat vollkommen zu Recht das Todesurteil ausgesprochen.

Herzfeld
(mit drohender Fassung)
Herr General! Lassen wir alle Sophistik bei Seite! Tatsachen! Die Republik hat gesiegt. Aber die Hauptstadt ist noch nicht gefallen. Noch hat keine Großmacht die neue Regierung anerkannt. Hinter dem Habsburger Maximilian aber stehen die herrschenden Gewalten der ganzen Welt. Selbst Nordamerika, Ihre Freundesrepublik, verwirft das Todesurteil. Die Exekution wäre ein Wahnsinn, den der Präsident nicht begehen kann! Die Empörung der Erde wird ihn hinwegfegen. Europäische Flotten, mächtige Heere landen in Verakruz. Die Rache aller Monarchen erstickt Ihre Partei und Mexiko in Blut!

Porfirio Diaz
(ruhig)

Ich rate Ihnen, werter Herr, auf dieses Argument
der Verteidigung vollkommen zu verzichten. Es
kann Ihrem Freund nur schaden. Wir haben mehr
errungen als den Parteierfolg eines Bürgerkriegs.
Durch unseren Triumph ist die alte verrottete
Gesellschaft der ganzen Welt ins Herz getroffen.
Sie mucke nur auf, die Larve der Titel und des
Geldes! Hier und überall stirbt sie an ihrem
eigenen Leichengift . . . Es tut mir leid, daß Prinz
Maximilian ein höherer Mensch ist. Doch er muß
mit dieser Gesellschaft fallen, der er rettungslos
angehört, und wäre er ein Christus!

Prinzessin Salm

Mensch! In diesem Augenblick reden Sie von Sieg
und Triumph, wo ein holdes Wesen, ein zartes
Kind umgebracht werden soll? Alle, alle sind des
Teufels. Aus jedem Mund geifert kranker Wahn-
witz. Und keiner sieht die lieben Augen, keiner
spürt den reinen Atem, keiner das süße warme
Leben, ach keiner . . .

(sie bricht in Tränen aus)

Herzfeld
(zitternd)

General Porfirio Diaz! Sie sind nach dem Präsidenten
die mächtigste Stimme des neuen Reiches. Erwägen
Sie Ihre Verantwortung! Man hat vorgestrigen Tages
dem Kaiser den Tod angekündigt. Drei Stunden

170

später hätte das Urteil vollzogen werden sollen.
Der Vollzug wurde suspendiert. Drei Stunden hat ein
Mensch auf den sicheren Tod gewartet! Drei
Stunden! Fühlen Sie diese Stunden? Ich frage,
fühlen Sie das Ungeheure dieser drei Stunden?
Was ist der Tod dagegen? Wollen Sie, daß diese
unausdenklich-kannibalische Marter wiederholt wird?
Nein! Sie können es nicht wollen! Es ist Ihre
Pflicht, General, die heiligste Pflicht Ihres irdischen
und überirdischen Lebens, die Begnadigung zu
erwirken . . . Geben Sie mir eine Antwort!

Porfirio Diaz
Meine Pflicht kenne ich selbst!

Herzfeld
So will ich meine Zeit nicht verlieren. Vielleicht
finde ich unter den Ministern eine Menschenseele.
(ab)

Prinzessin Salm
*(läuft schluchzend durchs Zimmer. Plötzlich beruhigt
sie sich, nimmt Hut und Schleier ab, ordnet ihr Haar,
sucht einen Spiegel)*
Gott, ich bin sehr zerzaust . . . Vielleicht alt geworden . . . Diese Tage waren ja so furchtbar . . .
Sehen Sie mich an, Porfirio Diaz! . . . Ich gelte
für schön . . . Man begehrt mich . . . Ich will alle
Verräter der Welt erhören . . .

Porfirio Diaz
Schweigen Sie, Madame! Ich will Ihnen die Schande
nicht antun, Sie zu verstehen.

Prinzessin Salm
(*wild ihm entgegen*)

Und er hat Sie geschont, als Sie sein Gefangener
in Puebla waren, der dumme, dumme Mann! Warum
hat er Sie nicht getötet, warum?!

Porfirio Diaz
Ich habs vergolten und werde es vergelten bis ans
Ende!

Prinzessin Salm
(*ihn furios umarmend*)

Sie wollen mir helfen, mein Liebling, Sie werden
ihn retten!

Porfirio Diaz
(*drängt die Frau von sich und tritt zurück*)

Wir haben ihm die Türe offen gelassen bis zum
letzten Augenblick.

Prinzessin Salm
Ach, er ist ja ein so dummer, heiliger Mensch.
Er hat sich gewehrt, er wollte nicht! ... General!
Zum Präsidenten! Schnell! Sie sind unsere Sonne!
Schnell!

Porfirio Diaz
Was kann ich tun? Das Gesetz hat gesprochen!
Jetzt ist es zu spät.

Lizentiat Elizea
(*tritt schnell ein*)

Bürger General! Eine sehr wichtige Depesche aus
Italien.

Porfirio Diaz
(liest)

„Caprera. An Juarez und alle Republikaner Mexikos.”

(aufblickend)

Das ist Garibaldi! Jetzt, Frau, beten Sie! Garibaldi ist des Präsidenten Abgott, der einzige Mensch, den er liebt. Sie waren Freunde . . .

(entfaltet die Depesche und liest)

„Ich Garibaldi, Feind alles Blutvergießens, bitte Dich um das Leben Maximilians. Verzeihe ihm! Meine Mitbürger, deren Blut die Henkersfamilie Habsburg in Strömen vergossen hat, bitten Euch: Verzeiht ihm! Immer siegt das großmütige Volk und immer vergibt es.”

Wenn einer ihn retten kann, so Garibaldi! Kommen Sie, Elizea! Schnell zum Präsidenten!

(Beide ab)

Prinzessin Salm
Heiliger Garibaldi, reiner Gottesmensch Du, Garibaldi hilf!

Herzfeld
(kommt in tiefster Niedergeschlagenheit)

Alle Türen versperrt! Es ist schon Gnade genug, daß man mich frei umhergehen läßt. Könnte ich zu ihm, nur zu ihm! Aber weit ist Queretaro, weit . . .

(er schließt in furchtbarer Müdigkeit die Augen)

Prinzessin Salm
Mann! Es ist etwas Gutes, etwas Wichtiges geschehen! Konzentrieren Sie Ihre Gedanken! Stark,
stark! Machen Sie aus Ihren Gedanken einen Sturm
zu Juarez hin! Denken Sie: Garibaldi hilf!!

Herzfeld
Hätte ich ein Relais von Reitpferden, vielleicht . . .

Prinzessin Salm
(stampft auf)
Denken Sie: Garibaldi hilf!!
(ein schrilles Läuten)

Prinzessin Salm
Was ist das?
Elizea von rechts, ein Beamter von links
(treten rasch ein)

Elizea
Ein Glas Wasser ins Zimmer des Präsidenten!

Beamter
Wasser? Das wird nie gefordert. Ist etwas geschehn?

Elizea
Nein! nein!

Beamter
Ein Unwohlsein?? Soll man . . .

Elizea
Gar nichts! Beeilen Sie sich!

Beamter
(winkt einem Diener hinaus)

Prinzessin Salm
(tritt starr ganz nach vorne und flüstert scharf zum Himmel empor)

Gott im Himmel, laß ihn sterben! Ich gelobe, ich will keinen Mann mehr lieben! Laß Juarez sterben!!! Ich gelobe, ich will auf jede Freude verzichten! Laß ihn sterben!! Ich opfere mein Reitpferd! Laß ihn sterben! Ich will niemals wieder Seide und Batist tragen. Laß ihn sterben!

Der Beamte
(nimmt ein Glas Wasser in Empfang und reicht es Elizea)

Porfirio Diaz
(kommt)

Gehn Sie!

Elizea, Beamter
(ab)

Porfirio Diaz
(mit erschütterter Stimme)

Mein Bittgang ist gescheitert. Die Fürsprache Garibaldis war umsonst. Der Bürgerpräsident hat das Urteil bestätigt. Maximilian stirbt morgen nach Sonnenaufgang!

Prinzessin Salm
Und niemand ist bei ihm, niemand, der ihn liebt . . .

(sie wankt)

Der Vorhang fällt

ZWÖLFTES BILD

MAXIMILIANS GEFÄNGNISZELLE IM KLOSTER LAS CAPUCHINAS ZU QUERETARO

Kahler schmaler seichter Raum. Tür im Hintergrund. Ausgang rechts. Ein eisernes Bett. Ein Mahagonitischchen mit Kruzifix und silbernen Leuchtern. Nacht

Maximilian

(sitzt am Bettrand. Er trägt seinen blauen Waffenrock, der aber nicht zugeknöpft ist. In der Hand hält er einen Brief. Sein Mund spricht Worte vor sich hin, deren Sinn er nicht versteht)

Der Wille zur Liebe . . . ist Liebe noch nicht . . .

Basch

(tritt rechts leise ein. Er hebt während der ganzen Szene nur selten den tiefgesenkten Kopf und vermeidet es, Maximilian anzusehen. Er hat ein Kleidungsstück mitgebracht, das er an einen Nagel hängt)

Maximilian

Ja, Freund Basch, ich habe Sie gerufen.

Basch

Eure Majestät hat vor einer Stunde noch so schön, so friedlich geschlafen.

176

Maximilian
Ich bin erschrocken über meinen Schlaf. Er ist in dieser Situation eine große Zeitvergeudung. Darum bin ich aufgestanden und habe einen langen Brief an Juarez geschrieben.
Wie spät ist es?

Basch
Vier Uhr. Soll ich den Brief verwahren?

Maximilian
Vernichten Sie ihn! Ich fürchte, er enthält sehr viel Wortfülle und Pathos. Schlechte Haltung wäre das! Die Sprache ist beiläufig, der Tod dezidiert. Sie passen nicht zueinander.

Basch
Ich bin seelenruhig. Juarez kann es nicht wagen.

Maximilian
Er muß. Und ich selbst billige es. In diesem Brief habe ich alle Schritte perhorresziert, die unternommen wurden, eine Begnadigung zu erzwingen. Ich bin schuldig, lieber Basch! Und daß ich es bin, gibt mir meine Ruhe. Ungerechtigkeit zu erleiden wäre viel viel schwerer. So aber bleibe ich selbst mein Richter. ... Alles habe ich bis in den letzten Grund durchdacht!

Basch
Diese Gerechtigkeit ist nicht menschlich.

Maximilian
Jetzt als vollkommen befreiter Mensch ohne Stand und Vorurteil weiß ich es: Schuld ist: Seinen Taten

nicht gewachsen sein! Mißerfolg ist Schuld! Der
Wille zur Güte ist Güte noch nicht. Meine Kon-
struktion einer radikalen Monarchie war unwahr.
Also muß der Fehler, die Lüge in meinem Wesen
liegen. Schuld! ...
Die souveräne Epoche ist vorüber. Im Schiffbruch
der privilegierten Klassen keuchen armselige Könige,
die keine sind! Die Zeit der Diktatoren beginnt.
Juarez!!

Basch
Vae victoribus! Wehe den siegenden Massen!

Maximilian
Und doch! Dir gleiche ich nicht, Franz Josef! Ihr
alle seid nur Deserteure eures Schicksals. Mich hielt
es gebannt. Ich hätte desertieren können, aber ich
durfte es nicht. Auch das muß tief in meinem
Wesen liegen. Sie wissen es, Basch: Mit offenen
Augen bin ich nach Queretaro gegangen, mußte
gehn, sowie Lopez mich verraten mußte!

Basch
Sire! bitter sind Sie an Lopez gerächt. Er ist von
Freund und Feind geächtet. Kein Haus und keine
Herberge nimmt ihn auf. Seine Frau hat sich
scheiden lassen.

Maximilian
Der arme Teufel! Er ist dem Mysterium des Verrats
nicht gewachsen.

178

Basch
(leise)
Oh Herzfeld!

Maximilian
(zieht einen Ring vom Finger)
Bringen Sie ihm den Ring! Ja, guter Herzfeld!
Zum Leben habe ich nicht getaugt, aber zum Tode
tauge ich. Und das ist nicht wenig.
(Ein Wimmern und Jammern wird hörbar)

Maximilian
Das ist Meja! Der arme kleine Meja daneben!
Hätte Juarez nur Meja und Miramon begnadigt,
Oh der arme kleine Indianer Meja!

Basch
Die Zeit läuft und Sie haben noch Mitleid?

Maximilian
Aber Meja ist doch so tief gebunden. Er hat eine
gesunde Frau und einen Sohn von zwei Monaten.
Wie entsetzlich ist das! – Ich bin frei. Charlotte...

Basch
Die Kaiserin ist erlöst.

Maximilian
So heißt es. Doch vielleicht will man mir nur
den Tod erleichtern. Warum? Er ist mein einziger
Schatz! Seitdem meine Frau fort ist, spüre ich ihn
in mir. Der innerste Mensch ist es. Jetzt kann ich
ihn fast greifen, so lebendig ist er. Mein Gesicht,

12*

doch schöner! Mein Ebenbild, aber reiner! Er ist mehr als meine notwendige Rechtfertigung vor der Welt. Er ist ich und alles, was ich habe.

Basch
(*fassungslos*)

Nein! Nein! Es darf nicht geschehn!

Maximilian

Sie leben noch. Wie sollen Sie das verstehn können . . . dieses ungeheure Erstaunen, Basch!

Postenrufe
(*pflanzen sich verhallend fort*)

Die Wache ist munter! . . . Die Wache ist munter! . . .

Maximilian

Haben Sie einen schwarzen Rock aufgetrieben?

Basch
(*nimmt das Kleidungsstück vom Nagel*)

Hier! Schlecht genug ist er und abgetragen.

Maximilian

Er wird genügen.
    (*er vertauscht die Litewka mit dem langen Rock*)

Basch

Diese Binde auch.

Maximilian
(*nimmt*)

Kein Spiegel! Eine große Entbehrung! . . .
Sehn Sie nach, ob in den Taschen nichts zurück-geblieben ist.

Basch
Ein uneröffneter Brief!

Maximilian
Der letzte Brief meiner Frau. Ich habe nicht den
Mut gehabt, ihn zu lesen.
(er hält zaudernd den Brief in der Hand)
Ich kann nicht. Basch, mein Freund! Öffnen Sie
ihn! Lesen Sie!
(er setzt sich aufs Bett)

Basch
(öffnet das Kuvert und liest)
„Mein innig geliebter Schatz! Alles ist gut. Du
hast triumphiert. Jetzt haben sie Scheu mich zu
vergiften und geben Ruhe. In Gottes Siegen über
den Erzfeind bist Du! Dein reines Herz hat alles
verwandelt. ³Überall blicken Deine Augen und
Deine Stimmen sind um mich. Ich war an allem
schuld. Jetzt aber bin ich glücklich. Denn Du bist
der Herr der Erde, Du wirst der Souverän des
Universums . . ."

Maximilian
(ist ohnmächtig zurückgesunken)

Basch
*(beugt sich weinend über ihn, hebt seinen Kopf,
streichelt ihn)*
Oh Du mein geliebter Mensch . . . Wach nicht
mehr auf . . . Geliebter Mensch!

Morgen-Dämmerung

Maximilian
(kommt zu sich)

Sonderbar ... Ein Gesicht ... Ein Kindertraum ...
Fern ... Habe ich das schon einmal geträumt?

Basch

Was? Was?

Maximilian

Einen Blitz lang versteht man alles ... Nur ein
Bild ... Es entweicht ... Ein Berg ... Ich komme
näher ... Eine Pyramide ... Menschen, auf und
ab in roten Talaren ... Tragen Aktentaschen,
Schreibtafeln ... Uralte, urweise Tiergesichter ...
Und ganz oben, ganz steif Juarez ... Juarez ...
Jetzt endlich ist er mir erschienen ... Aber ich fürchte
mich nicht ... Ich atme ... Ich singe ...
Nein, nein! So nicht, so war's nicht!!
(ermannt sich. Mit hartem Ton)

Auch dieser Brief wird vernichtet!
(er steht straff auf)

Gott sei Dank! Der Morgen!
Erster Tagesstrahl und Postenrufe

Kanonikus Soria und ein Mesner im Ornat
(treten ein)

Soria

Eure Hoheit! Ich lese in der Zelle des Generals
Miramon für die drei Herren eine stille Messe.

Maximilian

Gehn Sie nur voraus, Abbé! Ich komme.

182

Soria

Oh Gott! Hoheit! Was für ein schöner, junger Mann sind Sie! Und gerade mich mußte es treffen, mich Weichherzigen. Ich habe nicht Fassung genug ...

(seine Stimme versagt)

Maximilian
(lächelnd)

Nun muß ich auch meinem Beichtvater noch Trost zusprechen.

(leise zu sich selber mit klarster Kontrolle)

Nur nichts Falsches jetzt! Nicht lügen jetzt!

Soria und Mesner
(ab)

Basch
(rafft sich auf und spricht sehr rasch)

Eure Majestät! Wir sehen uns in zwei Stunden gewiß wieder. Dennoch! Ich habe ein gutes Mittel, das Körper und Geist in wohltätige Apathie versenkt. Ich flehe Sie an, Sire, dieses Pulver hier zu nehmen . . .

Maximilian
(unterbricht ihn)

Wollen Sie mir die letzte Habe rauben? Die Materie allein ist Angst. Sie soll mich nicht dominieren! Sie meinen es gut, Doktor Basch! Ich danke Ihnen. Aber ich will meinen Tod erleben.

(ab durch die Hintergrundtür)

Basch

(blickt ihm nach. Dann nimmt er den blauen Waffen-
rock und drückt ihn gegen die Brust)

Heller Morgen. Wachsende Trommel- und Hornsignale
Die Ausgangstür wird aufgestoßen

Ein Offizier

(tritt ein)

Soldaten

(hinter ihm)

Basch

(hebt die Hände gegen sie auf, weicht zurück und
läßt sich totenbleich aufs Bett nieder)

Der Vorhang fällt

Ende der dritten Phase

EPILOG

DREIZEHNTES BILD

VOR DER KIRCHE LAS CAPUCHINAS ZU QUERETARO

Geräumiger Platz. Im Hintergrund eine Mauer von buntbewegten Menschen, die sich mit dem Rücken zum Zuschauer von einer zur anderen Bühnenseite hinzieht. Die Bewohner von Queretaro erwarten den Einzug des Präsidenten, der gekommen ist, den Leichnam Maximilians zu sehen. Über die Köpfe des Volks ragen die roten Fähnchenlanzen der supremos poderes, der republikanischen Garde, die des Präsidenten Straße freihalten. Der Lärm der Menge, das Geschrei der Verkäufer, Witzbolde und Zeitungskolporteure schallt gedämpft

Der Vordergrund ist ganz ausgestorben. Rechts ein verfallenes palastartiges Haus, zu dessen Portal einige Stufen emporführen. Brennender Tag

Prinzessin Salm und Herzfeld
(kommen von links)

Herzfeld
Geben Sie mir Ihren Revolver, Fürstin!

Prinzessin Salm

Ich will mich in der Kirche zu ihm drängen und wenn er vor dem Sarg des Kaisers steht, schieße ich!

Herzfeld

Das sind hysterische Phantasien!

Prinzessin Salm

Soll Juarez leben?

Herzfeld

Geben Sie!

(er entwindet ihr die Waffe)

Prinzessin Salm

Und Sie sind der Freund Maximilians ...

Herzfeld

Er würde diesen Unsinn verabscheuen. Hilft ihm Ihre Rache und nützt es ihm etwas, daß man Sie lynchen wird?

Prinzessin Salm

Herzfeld! Sie sind überaus vernünftig. Ich nicht! Unerträglich, daß alles so ruhig weiter gehn soll! Ein Mensch ist gestorben wie ein Gott. Nein! Gott hatte im Tode Frauen und Jünger um sich. Maximilian aber ist der einsamste Tote auf der weiten Welt. Soll ihm kein Totenrecht werden? Sein Requiem!? Die Katastrophe! Juarez stürzt über seinem Sarg zusammen. Und ich ... Lassen Sie mich!

Herzfeld
Ruhe, gnädige Frau! Fühlen Sie nicht, daß der Kaiser und wir Fremde sind! Wir haben kein Recht auf Leidenschaften in diesem Land.

Prinzessin Salm
Und was geschieht?

Herzfeld
Man wird Ihren Mann freilassen. Sie kehren nach Nordamerika zurück.

Prinzessin Salm
Ich soll wieder ein gewöhnliches Leben anfangen?

Herzfeld
Ihr Leben, Madame, wird niemals gewöhnlich sein. Ich aber will mich nach Europa durchbetteln und in Österreich nehme ich Stellung in einem Amt.

Prinzessin Salm
Akten schreiben?

Herzfeld
(traurig)
Halten Sie das für so leicht?

Prinzessin Salm
Ah! Glauben Sie nicht, daß ich den Kaiser geliebt habe. Ich sah ihn ja so selten. Er hat mich nicht bemerkt. Was hätte ich auch von ihm wollen?! Etwas ganz anderes war es, etwas Herrliches! Herzfeld! Ein Leben liegt hinter mir

und den Menschen habe ich ausgekostet. Immer
dasselbe: Körper- und Interessenbrunst, dazu ein
kleiner Privat-Wahnsinn bei jedem. Einer hübsch,
der andere häßlich. Das ist alles!
Aber auf einmal steht ein Wesen da, gutgläubig,
kindlich, schön, verklärt! Frühlingsgeruch einer
Seele! Aller Schmutz schmilzt vor ihm weg. Er
verzaubert und erhöht durch sein Dasein! Ich ...
(unterbricht sich)
Ach, wie soll ich wieder leben? Und mit wem?

Dr. Basch
(kommt von rechts)

Herzfeld
Basch! Endlich!

Basch
Herzfeld.
(sie umarmen einander erschüttert)

Herzfeld
(da Basch reden will)
Schweige!

Basch
Du hast recht!
Pause.
Es war kein Tod der erzogenen Haltung. Maxi-
milian ist im Sterben ein großer Mensch gewesen!

Herzfeld
Für wen diese Größe!? Wofür dieser Tod!?

Basch

Glaubst Du nicht, daß jede Schönheit und jedes Opfer fortklingt und den Licht-Schatz der Welt vermehrt?

Prinzessin Salm
(mit leuchtenden Tränen im Auge)

Ja, ich glaube es ...

Herzfeld

Ich glaube an das Vergebliche. Sieh diese schreckliche Sonne! Sie brütet den ganzen siebenfarbigen Spuk aus ... Es geht vorüber ...

Prinzessin Salm

Nein!

Basch

Armer Maximilian, dem alles mißlingen mußte, nur der Tod nicht!

Herzfeld

Sein Liebesstrahl traf keinen Gegenstand. Der Stoff seiner Gestaltungslust war Irrtum. Er träumte von Legitimität und blieb der illegitimste Mensch des Lebens. Denn legitim auf dieser Erde ist nur die zweckgeile Bestie ...

Basch

Oder der Asket der Macht, Juarez!

Prinzessin Salm

Er kommt! Hören Sie es nicht?

Herzfeld
(ohne Fassung aufweinend)

Keine Gnade?! Nirgends?! Ach, nur Vergeltung
des Guten, keine??

Schwarzer Paukenwirbel und Volkes
Brausen

Prinzessin Salm
(erregt)

Hören Sie?

Die Mauer der Menge
*(wird immer bewegter. Rote Flaggen werden auf-
gezogen, die Lanzenfahnen tanzen)*

Basch

Ich kann ihn nicht sehn!

Herzfeld

Ich will ihn nicht sehn!

Prinzessin Salm

Ich werde ihn sehn!
*(sie steigt die Stufen zur rechten Hand empor und
überblickt die Menge)*

Basch

Warum kommt der Mörder? Siegestrunkenheit?
Neugier?

Herzfeld

Juarez tut nur das Notwendige. Dessen sei sicher.
Der tote Kaiser ist ein großes Pfand der Republik.
Das reaktionäre Europa wird sich demütigen
müssen bis zur Schamlosigkeit.

Paukenwirbel und Lärm
(immer näher)

Prinzessin Salm
(den unsichtbaren Aufzug beobachtend)
Gardisten ... Der Jefe politico mit dem Stadt-
kommandanten ... Jetzt die Generäle ... Alle im
roten Hemd ... Escobedo führt die Gruppe ...
Porfirio Diaz ist nicht darunter ... Das ist schön
von Diaz!

Die Raserei der Menge
(wächst immer mehr)

Prinzessin Salm
Die Minister ... Und jetzt ...

Herzfeld und Basch
(wider Willen aufgeregt)
Und jetzt? Er?

Prinzessin Salm
Nein! Ein Diener mit einem Kranz. Ein sehr
amtlicher Kranz und hat eine schwarze Schleife ...

Die Menge
(aufheulend)
Juarez!

Paukendonner
(auf der Szene)

Prinzessin Salm
Da! Ein kleiner alter Mensch ... Der Rock sitzt
schlecht ... Er geht behutsam ...

Dr. Basch

Sein Gesicht?

Prinzessin Salm

Höflich still ... Aber er sieht niemanden ... Keiner
wagt sich heran ... Ein Bannraum ist um ihn ...
Herzfeld! Ich hätte es nicht können!

Der Lärm der Menge
(plötzlich gedämpft)

Prinzessin Salm

Auf der ersten Stufe bleibt er stehn ... Fühlt Ihr
es? ... Er hebt leicht die rechte Hand ... Er
spricht ... Unhörbar leise ...

Herzfeld
(von Bitternis übermannt)

Er geht weiter! Er tritt ein! Er steht vor dem
Kaiser! Kaiser? Das ist nur mehr ein Gepäcks-
stück, um das gefeilscht werden wird. Und in drei
Monaten ist alles ein gelber Zeitungsfetzen, in einem
Jahr eine Anekdote, und dann ...

Prinzessin Salm
(tritt zu den Männern)

Juarez ist der große und wahre Herr dieser Zeit!
Gehn wir!

Herzfeld

Und dann: Blut, immer wieder Blut, das vergossen
und vergessen wird!

194

Prinzessin Salm

*(leise, als schäme sie sich, einen Augenblick lang ver-
gessen zu haben)*

Maximilian . . .

Die Menge

(paroxystisch)

Juarez!

Eine Musikbande

(spielt die Chinaca, Mexikos rasche Revolutionshymne)

Der Vorhang fällt

Ende

ANMERKUNG DES AUTORS

Die historische Wahrheit wurde in diesen Bildern streng gewahrt. Einzig der gedrängtere Ablauf der dramatischen Zeit und die Enge des theatralischen Raumes verlangten in der Behandlung von Daten und Personen jene Konzentration, die unter den Begriff der dichterischen Freiheit fällt.

Allerdings schreibt die epische Natur der Geschichte, wenn sie nicht vergewaltigt werden soll, eine bestimmte Folge von Ereignissen und Motivierungen vor, die oft genug dem unerbittlichen Gesetz der Tragödie zuwiderlaufen. Von altersher aber ist die dramatische Historie eine bewußte Form, die den Konflikt zwischen Drama und Epos versöhnen will.

Von Quellenwerken will ich nur die reichsten nennen: Ernst Ritter v. Tavera: »Geschichte der Regierung Maximilians I.« Derselbe: »Die mexikanische Kaisertragödie.« Die Aufzeichnungen eines Augenzeugen, Dr. S. Basch: »Erinnerungen aus Mexiko.« Alice Tweedi: »Porfirio Diaz« und Cesare Graf Corti: »Maximilian und Charlotte von Mexiko«, ein neues Werk, das mir durch sein ungeheures Brief-, Dokumenten- und Zitatenmaterial besonders wertvoll geworden ist.

WERKE VON
FRANZ WERFEL

Barbara
oder die Frömmigkeit
ROMAN

65. *Tausend*

Das Werk ist ein Höhepunkt im Schaffen dieses großen Dichters, der ein meisterliches Gesamtbild einer uns nahen Ver-
gangenheit gibt. Franz Werfel stellt sich damit in die vorderste
Reihe der größten Epiker der Gegenwart. (Berliner Tageblatt)

Dramatische Dichtungen

Die Troerinnen / Juarez und Maximilian
Paulus unter den Juden

Welche Überfülle gnädigen Geschickes, daß dem deutschen
Geist eine Stimme laut geworden ist von Werfels Gewalt, von
Werfels Leidenschaft.   (Kurt Breysig)

Gedichte

Der Weltfreund / Wir sind / Einander
Der Gerichtstag / Beschwörungen / Neue Gedichte

Hier ist endlich wieder eine Kraft, ein Mann, ein Mensch,
etwas, das lebendigste Bewegtheit ist und Bewegung um sich
schafft. Werfel hat mehr getan und geleistet als irgend einer
seiner Generation.   (Stefan Zweig)

PAUL ZSOLNAY VERLAG

Außerhalb der Gesammelten Werke erschienen:

Das Reich Gottes in Böhmen
TRAGÖDIE EINES FÜHRERS
10. Tausend

Eine Führertragödie, sie spielt in der Zeit der Hussitenkriege, aber sie spielt in alle Zeiten hinein, auch in die jüngste Gegenwart. Darum wirkt sie so stark. Das Ganze ist von großem Wurf, Werfels bisher größter Theatererfolg.

(Vossische Zeitung)

Juarez und Maximilian
DRAMATISCHE HISTORIE
20. Tausend

„Juarez und Maximilian" ist ein Geniewerk in der geistig zwingenden Gestalt und Zaubermacht der Vision.

(Julius Ferdinand Wollf in den Dresdner Neuesten Nachrichten)

Paulus unter den Juden
DRAMATISCHE LEGENDE
15. Tausend

Im „Paulus" ist kein unklares Wort, kein Klang um des Klanges willen. Auch keine Geschichte um der Geschichte willen. Man lernt den letzten Sinn des Christentums tief verstehen.

(Bernhard Diebold in der Frankfurter Zeitung)

PAUL ZSOLNAY VERLAG

Außerhalb der Gesammelten Werke erschienen.

Verdi
Roman der Oper
ROMAN
250. Tausend

Der Abituriententag
Die Geschichte einer Jugendschuld
ROMAN
100. Tausend

Kleine Verhältnisse
NOVELLE
10. Tausend

Der Tod des Kleinbürgers
NOVELLE
20. Tausend
Mit Illustrationen von Alfred Kubin

Geheimnis eines Menschen
NOVELLEN
25. Tausena

PAUL ZSOLNAY VERLAG